L'Hexagone bénéficie du soutien du Conseil des Arts du Canada et de la Société de développement des entreprises culturelles du Québec pour son programme d'édition.

COLLECTION FICTIONS

Débarcadères de Jacques Boulerice
est le quatre-vingt-dixième titre de cette collection
dirigée par Raymond Paul.

DU MÊME AUTEUR

Avenue (en collaboration avec Denis Boudrias et André Beaudin; avant-propos de Gatien Lapointe), Saint-Jean, Éditions du Verveux, 1965.

Élie, Élie pourquoi, Montréal, Éditions du Jour, 1970.

L'or des fous, Montréal, Éditions du Jour, 1972.

La boîte à bois (illustrations de Louise Chicoine), Saint-Jean-sur-Richelieu, Mille Roches, 1978.

Le cœur à ça (avec des photos de Kèro), Saint-Jean-sur-Richelieu, Mille Roches, 1985.

Apparence, Paris, Éditions Pierre Belfond, 1986. Prix Québec-Paris.

Le nuagier (conte illustré par Daniel Laverdure), Saint-Jean-sur-Richelieu, Mille Roches, 1987.

Le vêtement de jade, Montréal, Éditions de l'Hexagone, 1992.

JACQUES BOULERICE

Débarcadères

Roman

l'HEXAGONE

Éditions de l'HEXAGONE
Une division du groupe Ville-Marie Littérature
1010, rue de La Gauchetière Est
Montréal, Québec H2L 2N5
Tél.: (514) 523-1182
Téléc.: (514) 282-7530

Maquette de la couverture: Christiane Houle
En couverture: Marc-Aurèle Fortin, *Saint-Siméon,* huile
sur panneau, vers 1939, coll. particulière. Musée Marc-Aurèle Fortin.

Données de catalogage avant publication (Canada)
Boulerice, Jacques, 1945-

Débarcadères
ISBN 2-89006-559-6

I. Titre.
PS8553.O84D42 1996   C843'.54   C96-940915-X
PS9553.O84D42 1996
PQ3919.2.B68D42 1996

DISTRIBUTEURS EXCLUSIFS:

• Pour le Québec, le Canada
et les États-Unis:
LES MESSAGERIES ADP*
955, rue Amherst
Montréal, Québec H2L 3K4
Tél.: (514) 523-1182
Téléc.: (514) 939-0406
*Filiale de Sogides ltée

• Pour la Belgique et le Luxembourg:
PRESSES DE BELGIQUE S.A.
Boulevard de l'Europe, 117,
B-1301 Wavre
Tél.: (10) 41-59-66
(10) 41-78-50
Téléc.: (10) 41-20-24

• Pour la Suisse:
TRANSAT S.A.
Route des Jeunes, 4 Ter
C.P. 125, 1211 Genève 26
Tél.: (41-22) 342-77-40
Téléc.: (41-22) 343-46-46

• Pour la France et les autres pays:
INTER FORUM
Immeuble PARYSEINE,
3, allée de la Seine,
94854 IVRY CEDEX
Tél.: (1) 49.59.11.89/91
Télécopieur: (1) 49.59.11.96
Commandes: Tél.: (16) 38.32.71.00
Téléc.: (16) 38.32.71.28

Dépôt légal: 3ᵉ trimestre 1996
Bibliothèque nationale du Québec
Bibliothèque nationale du Canada

Merci à Marcel Colin, Pierre Lamonde, Mie-Ange Gruslin, Gwen Laurent et Jean-Marie Poupart pour leur lecture critique et cette amitié inconditionnelle.

J. B.

à la petite Alice,
ma mère

Je suis arrivé à un âge que je trouve fort
agréable dans la vie, parce que, ayant
vu à peu près tout ce qu'il faut, et ce
qu'on doit avoir pour asseoir son jugement sur les choses, et régulariser sa
vision sur les êtres, je ne suis ni blasé,
ni fourbu, ni fatigué, que j'ai toutes
mes dents, et un si grand amour de la
vie qu'il me semble chaque matin que
je viens de naître.

FÉLICIEN ROPS

Halte routière

Car je reviendrai retrouver la source
Où tes yeux aimés regardaient s'enfuir
Le temps de s'aimer le temps de souffrir
Ce sera le bout de ma course

GILLES VIGNEAULT

Nous revenions avec papa de Mont-Saint-Hilaire. Voix sourde, il répétait que les richards dévastaient la montagne. Entre l'épouvante et la peine, sur la banquette arrière, j'avais demandé si c'était pour cette raison qu'elle avait la face aussi longue. J'espérais le distraire, ramener son cœur au calme comme disait maman, mais il n'entendait rien; le voir sourire un peu dans le rétroviseur aurait soulagé Geneviève qui comprenait encore moins que moi ce qui arrivait à Michel.

Même lorsque maman le ramenait jusqu'à la bonne humeur d'autrefois, sa bouche frémissait aux commissures et nous attristait ou nous faisait peur. Mais ce jour-là, ses lèvres étaient toutes blanches. «Les maudits parvenus qui gaspillent tout ce qu'il y a de beau dans la vie! Et vous deux par-dessus le marché... À plat ventre devant ça! Belles niaiseuses!»

Sa voix tremblait comme chaque fois, depuis deux ans, qu'il parlait d'eux, les profiteurs, les cadres bien accrochés comme il les appelait, qui congédiaient les petits cadreurs comme lui, pour un peu d'avancement. La fin de semaine, afin de garder la main, ces gens-là abattaient des pommiers doux et des amélanchiers pour installer leur piscine Trévi, moulée, qu'on n'avait qu'à descendre dans la terre ouverte, comme une tombe.

Quand maman était avec nous, la plupart du temps elle l'écoutait patiemment sans rien dire, puis tentait de le calmer lorsque survenaient les allusions à la mort: «Michel! Voyons, Michel...» Flottant une seconde dans l'auto, son prénom en version douce restait souvent tout ce que je reconnaissais de lui et qui pouvait encore me rassurer.

Ce dimanche d'avril, juste au moment où nous commencions à longer la pleine clôture de bois de plusieurs propriétés cossues, il avait craché au-dessus de la vitre aux trois quarts baissée, malgré le froid, en grognant que si les nouveaux riches s'attaquaient uniquement à la montagne, c'est que les vieux avaient déjà, depuis longtemps, dérobé la rivière. Des marchandeurs de Radio-Canada, graissés jusqu'au trognon, qui connaissaient intimement toutes les manifestations du Beau et son prix de revente... Nous étions seules avec lui, ma sœur et moi, assises à l'arrière, le plus loin possible de sa main mais offertes à ses paroles: «... deux sans allure qu'on n'aurait pas dû mettre au monde.»

Personne pourtant n'aurait pu croire que cette route pouvait nous conduire ailleurs qu'au bonheur d'être ensemble. Chaque fois que, pour aller ou pour revenir du Festival d'été de Québec, nous suivions la rivière Richelieu par le chemin des Patriotes, nous avons eu pendant des années les mêmes remarques plaisantes, les mêmes potins sans importance qui détournent la grisaille et passent le temps en auto. Maman, largement informée par *Échos Vedettes* et ses compagnes de l'hôpital, faisait sa large part de commérages. Beaucoup plus par jeu que par véritable intérêt, pour nous rappeler la scène habituelle, répliques connues du même scénario annuel quand nous partions en vacances.

D'aussi loin que je me souvienne, ma sœur Geneviève et moi prenions part à l'épluchette de vedettes, de manoir en villa, dès la sortie de Saint-Mathias, sans trop savoir d'ailleurs de qui ou de quoi il était vraiment question. Mais nous aimions les blagues de papa, ses jeux de mots tordus, les informations bidon ou mille fois exagérées de maman qui rigolait tout le temps. Surtout, nous avions hâte d'arriver à Québec. «C'est encore loin, Grand Schtroumpf?» répétions-nous dès la sortie du vieux pont Gouin. Les lieux communs sont plus vite visités.

Juste à l'entrée de Mont-Saint-Hilaire, immédiatement après le mot de bienvenue officiel où la municipalité rappelle aux passagers qu'elle les préfère passants plutôt que trépassés, maman faisait toujours démarrer le même ruban pour nous redire que la chanteuse Ginette Reno vivait dans cette immense maison à colonnes blanches d'où sans doute on pouvait voir l'église de Belœil à la hauteur même des yeux du saint d'en face, en extase au fond de sa niche, et que ceci expliquait à coup sûr la ferveur de la voix. Aux premières vacances dont je me souvienne passablement, Mikaël, pour relancer maman, y avait plutôt établi une obscure relation avec les nichons de la dame que nous avions d'ailleurs dans le dos depuis Chambly. Question d'eau, de retenue dans le mouvement et de courant qui électrise.

En ce temps-là, Hélène s'amusait de tout, des divagations drôles de papa qui s'appelait encore Michel, de ses mimiques et de son côté foufou; maman avait les yeux naturellement rieurs et le rire communicatif. L'inquiétude aussi, nous l'avons appris par la suite.

Après quelques mois sans emploi, papa avait troqué son délire amusant pour de l'amertume, sa folie douce pour une rage sourde et des colères imprévisibles. Quand nous passions dès lors devant le manoir Rouville-Campbell ou quelque superbe maison riveraine, ce n'était plus l'occasion de plaisanter sur la morgue des visages ou la hauteur des façades. Il n'est resté bientôt que les dents des éclats de rire.

Avec le temps et sans trop saisir pourquoi, ma sœur et moi avions emmagasiné de l'information sur le tiers des belles maisons, des demeures et des domaines où nous passions lors des promenades du dimanche ou des visites à la famille. Ce qui s'appelle se faire des connaissances.

Un fossoyeur d'émissions religieuses avait élevé le long de la route une palissade en planches de cèdre d'au moins deux verges pour protéger ses thuyas et avoir la sainte paix avec ses petits amis à genoux devant lui. Cent cinquante mètres de clôture pour empêcher le vrai monde de profiter de la rivière, rêver un peu que le mauvais temps finira lui aussi par passer. Un vieux vénal avait fait de l'argent sur le dos du Bon Dieu, payé au diable une barrière de vingt mille piastres pour jouir tout seul de l'eau, de là. Les calembours ont survécu un temps à sa détresse. Mais ni lui ni Hélène ne s'en amusaient.

Comme aujourd'hui dans mes cahiers d'écriture, j'ai tenté alors en tremblant de faire sourire les mots pour ramener dans ses yeux le bonheur simple d'un homme heureux qui m'avait tant bercée, toute petite, enveloppée dans son regard comme dans mes draps de flanelle. Snoopy, Woodstock et ses amis.

À six ans, Geneviève était trop jeune pour se souvenir de la patience de papa, des promenades sur ses épaules dans les sentiers du Pain de Sucre ou même se souvenir du loup stupide, édenté et toujours perdu perdant dans les histoires si drôles qu'il nous contait chaque soir.

Je savais qu'il avait aimé maman, qu'il lui faisait tout le temps des gros câlins qu'il appelait des «consolés» et l'embrassait souvent. Tout comme aujourd'hui, je me souvenais de ce papa premier modèle. C'est pourquoi j'avais voulu encore le faire rire, et tenté de désamorcer sa colère en effaçant dans sa tête tous les mots cruels avant qu'il ne les verse sur nos cœurs et nous fasse si mal. Geneviève, elle, ne se sera souvenu que du père des dernières visites à Mont-Saint-Hilaire, de l'enragé de cet après-midi où c'est maman qui aurait dû être avec nous et lui au quatrième étage de l'hôpital.

Aussitôt le seuil franchi, il avait pris son air d'orage à gros grains. Cou raide et mâchoire crispée, il saluait encore mon oncle Gérard quand j'avais cru voir son regard s'assombrir et ses yeux plisser. De fait, dès son apparition dans le cadre de la porte, lorsqu'il était venu nous prévenir à la salle de jeux de notre cousin, nous pouvions douter de la bonne humeur affichée à l'écran.

Même Benoît-Luc, protégé par cent figurines de *La guerre des étoiles* au milieu de sa base spatiale en pièces Lego, avait remarqué le ton, sursauté à la voix terriblement basse, trop pondérée. Chaque mot, chaque syllabe semblait demander un effort, un contrôle incroyable qui, à la limite, pouvait avoir l'air de vouloir convaincre du premier coup; la rage contenue du parent qui ne veut pas répéter les directives.

— Les filles! L'heure de partir... Hélène nous attend à son travail. Huit heures à l'hôpital, c'est assez!

Tante Denise et son gros suffisant ne lisaient rien dans la figure de papa, ni ailleurs au demeurant, cherchant à ajouter quelques chiffres à la beauté de l'aménagement paysager et nous invitant à revenir dans deux semaines, avec maman, pour regarder le hockey sur écran géant.

— Samedi dans quinze, ou avant. T'as le temps, Mike. Tout ton temps. Rien que ça à faire, profiter du bien-être...

De toute façon, les traits de sa figure pouvaient faire illusion: ligne des lèvres au niveau, un brin tirée aux angles, front lisse sous les cheveux grisonnants, paupières aux clignements réguliers sur des yeux bruns cernés par le verre épais des lunettes, surtout l'œil droit. Mais le ton étrangement neutre, dangereusement appliqué... Mon père trouvait ce timbre uniquement lorsqu'il se contenait, deux minutes au maximum, avant d'éclater. Avec le temps, nous avions fait le lien entre cette inflexion sèche de la voix et une exclamative de la famille du «c'est assez».

J'ai appris, ou finalement retenu plus tard que le dernier mot sur lequel la voix de papa avait fermé le jeu ce jour-là était un adverbe. Néanmoins, nous en connaissions déjà très bien le sens et l'invariabilité. Quand il se tournait vivement vers nous, ou montait, irrité, à notre chambre en l'associant au verbe être dont l'état ne faisait aucun doute, il fallait au plus tôt prendre la forme passive ou avoir recours à la deuxième personne de ce couple singulier qu'il formait avec Hélène. Les mots qui serrent le cœur peuvent aussi dilater la rate, à condition bien sûr de respirer...

Mais l'air parfois se fait rare et les poumons trop petits. Ceux de Geneviève avaient peine à pousser sur les mots, sur mon prénom, à murmurer sa crainte et à formuler un souhait.

— Mado? Il n'est peut-être pas fâché pour vrai. Juste pressé. Parce que maman nous attend, hein Mado?

Tassée au fond du siège, Geneviève avait presque quatre ans d'expérience de moins que moi dans la lecture du papa cassant, imprévisible. Mais la plupart du temps elle sentait les choses mieux que moi, les tremblements de père, les éruptions syllabiques ou les petits nuages passagers.

J'espérais, un bras autour de ses épaules, que la question de ma sœur trouve une réponse toute simple, assez familière depuis quelque temps: il aurait simplement bu trop de vin puisque, de toute évidence, son beau-frère l'avait invité comme d'habitude pour lui en faire voir de toutes les étiquettes, et goûter «sans cérémonie, Mike, c'est des restes de bouteilles d'hier soir. T'aurais dû voir le party! Viens voir ma cave, le cave, on va en ouvrir une que t'auras jamais les moyens d'acheter». Les flûtes amenant le ballon et la langue lourde, Mikaël était peut-être simplement un peu gris, pressé de rentrer.

Du portique à colonnes de stuc rose jusqu'à notre tacot rouille, il était toujours possible d'y croire. Mais certainement plus dans l'auto. Au bout de son bras, le bruit fêlé de la portière sur le châssis mal isolé par les joints de caoutchouc éventés, la tache blanche, presque cireuse, entre ses sourcils, quand il s'est retourné pour voir si nous étions attachées: papa n'était ni fatigué ni un peu soûl, mais plutôt enragé fou.

Geneviève avait beau regarder par la vitre malpropre où défilaient devant ses beaux yeux effarouchés les murets et les grilles de fer forgé, elle savait comme moi que c'était dans la tête de notre père que surgissaient les feux ou les arrêts et surtout qu'il ne tiendrait pas longtemps devant sa rage. Nous ne devinions pas vraiment pourquoi il avait repris ce regard qui nous effrayait tant, cherchant à nous visser dans la tête les mots qui brisent le cœur. Il se retournait sans cesse vers nous, la main en l'air, prête à se rabattre sur nos cuisses serrées; la main droite qui frappait sans se contrôler, moins menaçante pourtant que la gauche sur le volant incertain, je m'en souviens.

Geneviève n'avait rien brisé, rien demandé, comme convenu à l'aller et selon les habituelles recommandations pour les visites dominicales. En arrivant, nous avions dit bonjour à tout ce qui avait la taille d'un adulte, puis tante Denise avait consenti à nous garder cinq minutes au salon après ce qu'ils avaient appelé «la visite du bain *tourbillon* et de la nouvelle salle d'eau».

Ma sœur s'était étonnée qu'on arrive à vraiment bien se laver dans une *salle d'eau*, mais n'avait pas fait d'autres dégâts que la grimace pincée apparue deux secondes à la bouche de notre tante. Du reste, tout le temps de la tournée, du vivoir à la salle de bain, en passant par le bureau du vizir (pour voir les factures), jusqu'au vivier du cousin, j'avais tenu Geneviève par la main, parfois par les deux, pour l'empêcher de toucher à ce qui semblait instable ou trop fragile, bref pour ne rien approcher.

Nous avions salué aussi poliment au départ qu'à l'arrivée et j'avais souligné plusieurs fois que tout était très beau, que cela devait coûter en effet très cher et que Benoît-Luc était chanceux de prendre son bain dans un «tourbillon» parce qu'il devait être plus vite sorti. Pour faire plaisir aussi et en détachant bien chaque syllabe sans trop comprendre le sens du mot, Geneviève avait répété que c'était *in-dé-cent* d'être riche comme ça. Comme disait papa.

Quand il a commencé à crier dans l'auto, sa figure était violette. Je le voyais en partie dans le rétroviseur. Peut-être que la lumière en grisaille ou le tain du rétroviseur accentuait l'impression, mais quand il a hurlé mon nom, j'ai cru qu'il devenait noir.

— Madeleine Bourgeois! Veux-tu me dire comment ça se passe dans ta tête d'écervelée quand tu dis des niaiseries? Hein? Veux-tu me dire pourquoi, en visite, tu peux pas te fermer la trappe plutôt que de nous faire honte? Peux-tu me dire quand vas-tu te décider à juste avoir *l'air* folle? Pas nécessaire de le prouver en te faisant aller la gueule!

Quand j'ai voulu lui dire que je ne comprenais pas, que j'avais simplement fait quelques blagues, il s'est retourné, m'a frappée à la tête et conseillé de faire la morte. Geneviève s'est tassée sur la portière de droite, s'éloignant de la main qui nous cherchait. Mais de quel côté se ranger pour échapper aux mots blessants?

Si je ne saisissais pas très bien ce que nous avions fait de si mal, je comprenais que j'avais l'air d'une folle. J'ai eu l'impression de tomber dans ma tête, de basculer dans le vide. Peut-être en avais-je reçu avant, mais c'est le premier souvenir aussi net de ces blessures au cœur, du trou creusé dans tout mon corps et qui me donne encore le vertige. Comment se mettre à l'abri des paroles acerbes qui sortent de la bouche de ceux qu'on adore? Peut-on les effacer vingt ans plus tard en traçant des lettres sur une fenêtre embuée ou dans des cahiers? Faire des jeunes mots pour en soigner des vieux. Jouer du sens. Garder en mouvement la mémoire des sourires effrayés pour s'être tenu trop près des portières. Observer le reflet des beaux visages abîmés, les paysages ondulants du bonheur.

Par la vitre du côté de la rivière dérobée glissait le nom de famille de maman, celui qui surgissait aussi dans le mien quand tout allait mal «Madeleine Bourgeois-Kérouack...» les sons doux de l'un devenus plus durs que les occlusives du second. Par la vitre, des haies opaques, des grilles fermées devant des maisons de riches à qui il ne faut jamais parler de prix, ni du fond du cœur, pour ne pas avoir l'air des pauvres que nous devenions.

Par la fenêtre encore, dans les larmes retenues de l'œil en coin, un souvenir qui refait surface. Devant moi, dos tourné, le même homme tremble de dépit. Il ne roule pas en auto cette fois mais tient entre ses mains mon bulletin de Noël de quatrième année. Il va le froisser, le jeter par terre comme s'il fallait le mettre à la poubelle. Un chiffon de pipi du chat Chatouille qui faisait partout.

Je me souviens avoir imaginé qu'il se débarrasserait aussi de moi. J'ai peur qu'il se retourne et parle encore. Il me semble que c'est la première fois que j'entends cet homme qui m'appelle pourtant sa fille et se nomme bien Mikaël Kérouack. Maman l'avait arrêté, raisonné, ramené doucement:

«Pas mauvais du tout ce bulletin, Mikaël. Deuxième rang centile dans une classe forte en mathématiques, ça reste très bien. Elle retrouvera probablement le groupe de tête au prochain relevé. Et puis c'est pas utile de toujours être championne pour devenir meilleure...»

Hélène était spécialisée dans la concordance des gens. Mais papa avait eu le temps de parler d'une imbécile qui me ressemblait, de dire qu'il ne voulait pas de ratée dans la famille et qu'il allait nous faire travailler. Geneviève était sortie de sa chambre en criant qu'elle travaillait très fort avec ses amies de la maternelle.

Lui n'avait plus d'emploi. Il avait été cadreur à Radio-Canada jusqu'à ce qu'on efface son portrait du décor pour sauver le pays de la faillite. Maman le rassurait, lui répétait que tout allait s'arranger, que je n'étais ni imbécile ni paresseuse et qu'il n'y avait pas de ratés dans les environs, pas même dans le moteur fatigué de la vieille Toyota, notre familiale entêtée.

Mais tout le retournait. Chaque jour semblait rameuter les petites misères autour de sa vie. La patience amoureuse de maman ne put le distraire de l'amertume. Elle s'est mise à vieillir elle aussi très vite quand il a commencé à faire ses visites dominicales «aux pleins de la famille qui ont toujours besoin de pauvres pour encenser les puits de lumière Vélux de leur toit cathédrale».

Une fois de plus, elle lui avait demandé, au matin, pourquoi il cherchait à se faire mal ainsi; puis elle était partie à contrecœur pour le travail, nous recommandant d'être gentilles, sans cesser de le regarder dans les yeux. Les longs cheveux noirs n'ont presque pas bougé quand elle s'est retournée. C'est du trottoir qu'elle nous a fait signe: petit baiser sur le bout des doigts, main droite ouverte, offerte, tendue, tendresse soufflée jusqu'à nous. Le bonheur au ralenti. Pendant des années, Geneviève a salué de cette façon lorsqu'elle finissait par se résigner à la nuit.

Dans l'auto qui zigzaguait, il a continué à vouloir nous frapper un peu à l'aveuglette en nous criant de rester au centre du siège. J'essayais de tenir Geneviève assez loin des coups, moulinets nerveux, quand il m'a attrapée par les cheveux et tiré la tête entre les banquettes. La tempe appuyée sur la console du levier de vitesse, front tourné vers sa cuisse, j'ai revu, à travers les miens si semblables, les cheveux d'Hélène qui s'en allait à l'hôpital. J'aurais voulu reprendre la journée depuis le début, supplier maman de rester avec nous. J'ai dit à papa qu'il me faisait mal.

Après avoir stoppé la voiture sur l'accotement, il nous a dit de descendre. Les deux mains crispées sur le volant, sans nous regarder, ni dans le rétroviseur ni autrement, il a répété d'une voix si faible que j'ai cru qu'il soufflait: «Terminus. Descendez. Vous ai assez vues. Descendez avant que je sorte.» Il commençait à faire sombre et j'ai dit qu'il fallait rentrer à la maison, que nous ne pouvions pas attendre toutes seules au bord de la route, que maman allait s'inquiéter, que c'était dangereux.

Ses épaules se soulevaient par secousses, mais, s'il sanglotait, c'est Geneviève que j'entendais brailler. Il s'est mis à frissonner. Tout son dos tremblait. Je ne pense pas avoir rêvé. Geneviève a toujours cru qu'il riait, qu'il s'amusait à nous faire mal. «Je vous ai dit de descendre. Faites de l'air. C'est assez.» Il s'était retourné très lentement. Il fallait sortir.

Sans trop savoir ce qui pouvait nous arriver, j'ai pris Geneviève par la main en lui disant de ne plus pleurer. Je l'ai éloignée de l'auto avant de refermer la portière. Il me semble encore que la plainte des pentures rouillées a mis des minutes avant de s'éteindre. Assez de temps en tout cas pour voir comme de la glaise rouler de sa bouche, des mots en mottes humides tomber dans ma tête:

«... stupides et sans allure avec vos faces d'épagneul. Déjà trop de temps perdu avec des niaiseuses qui ont l'air du désespoir. Disparaissez du décor.»

J'ai eu assez de peine à pousser la tôle plaignarde pour que se fixent dans ma mémoire les yeux gris, boussoles affolées, d'un homme hors de lui, perdu, que je ne reconnaissais plus. Il y eut assez de soir aussi, soudainement, de ce côté de la rivière, pour que je n'arrive pas à savoir si ses épaules tressautaient vraiment et s'il pleurait lorsqu'il nous a abandonnées juste après le vieux viaduc.

Avril, quand il salit comme en mars, ne laisse pas grand place aux lampes-tempêtes dans la tête. Geneviève tremblait dans mes bras, dos appuyé sur mon ventre, et j'avais le vertige comme si l'auto avait laissé un épouvantable fossé devant nous. C'est pour ça que je retenais Geneviève.

Curieusement, les feux arrière de la familiale qui s'éloignait n'arrivaient pas à disparaître. Geneviève, sa voix fragile noyée, en larmes, appelait tout bas, comme gênée, papa, papa qui n'entendait plus rien. Immobiles, le plus loin possible de la ligne jaune, sur l'accotement boueux qui rétrécissait au passage des autos, nous avons attendu qu'il revienne nous chercher. Les pneus des autos qui ralentissaient après que leurs conducteurs nous avaient aperçues faisaient un bruit de pluie drue sur l'asphalte grossier, un peu comme la voix de maman lorsqu'elle chassait les chats des voisins, «les vilains voyous pleins de griffes autour de Chatouille qui n'a que ses coussins».

Entre la fausse pluie et le souffle retenu, j'entendais la rivière, tout près de nous à droite, se refaire à l'idée du froid pour une autre nuit. Geneviève reniflait par petits coups, tenait ses larmes tant bien que mal. Arrivée à la maison de stuc et de pierre en imitation de papier, lugubre et isolée dans le défaut de la côte, comme disait maman, la route grimpe en courbe raide vers un monument, énorme pierre à la mémoire des Patriotes de 1837.

Nos parents appelaient ce passage «le tournant de la mort» et faisaient remarquer que les habitants du voisinage avaient installé des miroirs en angle, dos au Richelieu, pour la voir venir à temps en quittant leur rue. Nous connaissions le coin... Geneviève s'est mise à hurler dans mes bras, dans ma tête surtout, avec une autre voix. J'avais mal au cœur.

Avec la brunante, les autos klaxonnaient à notre hauteur comme si elles craignaient la nuit qui les avalait avant nous. Le noir des cheveux de maman venant vers nous, frange ajourée sur son front lisse, appuyé sur le nôtre à tour de rôle pour y verser ses plus beaux rêves avant de nous border. Il fallait donner un visage aimé à la nuit pour calmer Geneviève, marcher en équilibre l'une derrière l'autre, mains sur les épaules, entre chien et loup. Pas le méchant loup, l'autre, celui des histoires à rire que papa nous contait, le loup nono qui se faisait couper la queue par un petit tailleur ou prenait le reflet de la lune pour un fromage au fond d'un puits.

Une fois passé le petit parc à nausée de la place du Manoir, monument derrière nous sur la gauche, il restait à traverser la route en courant, marcher encore jusqu'à la station-service Esso pour téléphoner à maman et nous réchauffer en l'attendant. La lumière crue au-dessus des pompes à essence et l'éclairage jaunâtre des lampadaires nous ont sorties de la nuit mais pas de la peur.

Geneviève m'a dit qu'il y avait un peu de sang sur ma joue droite. Pendant que j'aggravais le dégât en m'essuyant la figure avec les manches de mon blouson imperméable, quelqu'un est sorti du garage et nous a crié quelque chose que j'ai oublié. Je me suis mise à pleurer. J'avais honte parce que je n'arrivais plus à m'arrêter. J'aurais voulu ne rien dire à un étranger, ne rien demander. J'espérais simplement que papa revienne et qu'on rentre à la maison pour laver tout ça.

Quand on sort de force de l'innocence à six ans, perdue avec sa grande sœur effrayée devant un libre-service, la honte se place de travers dans la gorge et repousse la peur à l'intérieur, bien tassée aux extrémités du corps. Ce qui s'en échappe malgré tout rend le sourire fragile et finit par fermer les poings des plus doux. Plus tard, on se teint les cheveux en jaune, on poursuit dans des livres sa propre misère qu'on range dans les rayons de la veille, on écrit la nuit un journal de bord pour voyager coûte que coûte et surtout pour hypnotiser le rouge des manettes d'ALARME. Pour se pencher au-dessus des fenêtres où c'est écrit en plusieurs langues de ne pas le faire.

— Elle, c'est ma sœur Geneviève. Il faut téléphoner à ma mère, Hélène Bourgeois. Elle est à l'hôpital de Saint-Jean, à son travail. Elle est infirmière. Qu'elle vienne nous chercher. Il commence à faire froid.

J'avais tenté malgré tout de me contenir, de faire ma grande fille — expression qui éponge généralement les premières menstruations — et d'apprendre à un inconnu aux yeux exorbités ce qui s'était passé et pourquoi nous étions seules, visages défaits, sur une route aussi redoutable.

Quelques semaines avant, probablement trois puisque maman y était, nous avions vu, place du Manoir, à deux pas de là, un homme assis sur un des bancs à peine libérés de l'hiver. Son manteau déboutonné laissait voir un pénis impressionnant qu'il branlait à deux mains. Geneviève avait demandé s'il allait lancer le bâton au chien. Après avoir regretté l'absence du chien, Hélène avait expliqué ce qu'il faisait et que les hôpitaux ne pouvaient pas garder tous les gens qui avaient des araignées dans le plafond ou des démangeaisons dans le machin.

Selon ses patrons, il fallait retourner au plus tôt dans la rue la plupart des zombis bourrés de pilules. Nous ignorions le sens du mot *zombi*, mais maman avait frémi en le prononçant et son rire de femme surmenée, dégoûtée, nous avait inquiétées autant que le spectacle du malade qui l'avait provoqué. Elle avait cependant convaincu Mikaël de ne pas s'arrêter pour lui «arranger le portrait» ou appeler la police au dépanneur du libre-service devant lequel nous tremblions justement, ma sœur et moi, refusant de tenir la main de l'homme qui nous questionnait.

D'une pichenette sur la visière graisseuse, il a relevé la grenouille collée sur le front de sa casquette de base-ball en me demandant de répéter ce que je venais de lui dire. Sa voix éraillée faisait de l'écho dans ma tête. Son manteau sentait le vinaigre. Impossible de croire que papa ne revenait pas nous chercher alors qu'il avait voulu téléphoner de ce même dépanneur, quelques semaines avant, pour prévenir la police de la présence d'un maniaque dans les environs du «tournant de la mort».

Toutes les misères du dehors s'enfonçaient pêle-mêle dans ma tête. On est à l'abri dans une auto, derrière une vitre, quand les petites laideurs ou les grandes saletés disparaissent d'un côté du cadre aussitôt surgies de l'autre. On est à l'abri dans les os du crâne tant que tient le mouvement, tant que les choses passent, tant que nos amours font avec nous le voyage. Geneviève en a retenu aussi ce qu'elle pouvait.

À l'intérieur du dépanneur, il a fallu tout répéter à Monsieur Esso, à la caissière et à deux futurs millionnaires de la loterie.

— Madeleine Kérouack... Presque onze ans... Ne pleure pas, Geneviève. Téléphonez à l'hôpital de Saint-Jean. Hélène Bourgeois. Elle va venir nous chercher. C'est pas compliqué.

Le propriétaire voulait absolument savoir qui m'avait frappée et ce que nous faisions à pied, seules sur ce chemin, à quarante kilomètres de notre maison. Mais comment raconter ce qui s'est passé quand on n'en sait rien? Comment dire aux voisins du malheur, visages flottant tout le tour, que notre père a été avalé par un loup confondant et que le bûcheron tarde à passer pour le sortir de son ventre?

Papa n'avait pas hurlé, ne nous avait pas poussées dans la nuit, ne nous abandonnait pas, stupides et laides, à un obsédé dans un chemin où rôde la mort. Il voulait au contraire nous garder avec lui comme avant, nous aimait autant, mais n'arrivait plus à sortir de la gueule du loup. Comment raconter vraiment ce qui s'était passé?

Le propriétaire a téléphoné à la police municipale plutôt qu'à maman. Alors, Geneviève s'est mise à crier si fort que j'ai eu l'impression de m'enfoncer dans un mauvais rêve où même les bons étaient méchants. À moins que ce n'ait été la première vraie fêlure de l'enfance dans mes oreilles... Les policiers ne pouvaient pas enfermer les parents, même quand ils ne sont pas gentils pour quelques instants.

Vite arrivés à la station-service, les deux agents sont entrés au dépanneur en demandant au propriétaire ce qui se passait. Ils avaient l'air de bien le connaître et lui posèrent des questions en l'appelant par son prénom. Je n'ai rien répété d'autre que d'appeler Hélène Bourgeois à l'hôpital de Saint-Jean. L'un des deux policiers croyait qu'il s'agissait d'une fugue et voulait nous amener au poste afin de nous interroger là-bas. Il me semblait que j'avais la grosse pierre noire du monument des Patriotes dans le ventre. Il restait beaucoup plus de plaintes que de larmes dans ma tête.

Toutefois, j'ai cessé d'entendre le sang dans mes tempes quand le plus vieux des policiers s'est mis à genoux devant Geneviève pour lui dire de pleurer si elle avait encore de la peine, mais qu'il n'y avait plus de danger, qu'ils allaient téléphoner à notre maman, nous ramener à la maison bien au chaud. Il a ajouté en souriant que nous pouvions prendre tout le chocolat que nous avions le goût de manger dans le dépanneur en attendant. Geneviève a cédé devant une énorme tablette de chocolat Toblerone.

Les deux «O» de la marque de commerce, malgré la taille imposante de la boîte triangulaire, restèrent beaucoup plus petits que les yeux du proprio.

— Je peux te demander qui va payer, Jean-Marie?

Cette question, souvent posée à la maison en ce temps-là, n'entraînait plus, depuis des mois, de réponse en forme de plaisanterie ou de moquerie complice.

— Considère, Martin, que c'est le premier cadeau que tu vas faire à un vieil ami policier en préretraite. Tu vas t'habituer...

Avec un chiffon mouillé, juste un peu tiède, il a pris le temps d'essuyer les yeux de Geneviève, mon front, ma joue. Après deux clins d'œil rapides, du gris transparent comme j'en cherche encore, son regard d'un seul coup avait lavé presque toute la peur. Sa moustache en brosse, toujours en mouvement, faisait drôle à voir pendant qu'il prenait des notes et que l'autre policier vérifiait des choses dans l'auto ou téléphonait à l'hôpital.

L'homme qui s'accroupissait pour nous parler, jusqu'à s'asseoir sur le plancher, avait les cheveux presque tout blancs et des dizaines de sourires de chaque côté des yeux. Debout, il pouvait effrayer: un géant avec un revolver. Mais à genoux, il faisait aussi drôle que doux. Exactement comme Mikaël quand il nous contait des histoires d'ogres et de fées en changeant sa voix. Comme Mikaël lorsqu'il préférait qu'on l'appelle Michel.

En l'absence de son compagnon, je me suis mise à dire à ce policier aux yeux si vieux et si rassurants que papa était au fond exactement comme lui, qu'il avait un peu changé, qu'il ne fallait pas l'arrêter puisqu'il allait, c'est certain, bientôt recommencer à nous faire rire aussi, à nous chanter des chansons pour bien dormir. Aux marches du Palais, la plus belle fille elle-même n'avait aucune chance, selon lui, d'épouser le prince ou le petit cordonnier si moi, je le désirais. Il fallait donc laisser papa redevenir le papa qui me trouvait belle.

L'homme accroupi, casquette sous le bras, fixait le plancher en silence. Quand il a relevé la tête, il nous a prises par les épaules, Geneviève et moi, a toussé un peu pour changer encore sa voix et confirmé que nous aurions le choix du prince, même avec un bec de chocolat comme celui de Geneviève, et que les plus belles princesses, en effet, n'avaient pas de chance.

Naturellement, nous avons fini par monter en auto avec lui pour aller au poste où maman nous retrouverait. Il parlait lentement et pouvait attendre longtemps notre réponse quand il voulait savoir si nous avions encore froid ou si j'avais mal à la tête. Je lui ai demandé s'il arrêtait parfois des voleurs de montagnes ou de rivières, des inconnus qui faisaient des trous dans la tête des papas ou dans leurs autos si rouillées qu'elles échappaient des enfants sur la route en rentrant à la maison.

Hélène est arrivée en larmes dans le bureau où nous l'attendions. Elle nous a serrées très fort sur elle. Geneviève seule d'abord, puis moi, et toutes les deux à la fois. Elle répétait que c'était assez, que c'était trop, que papa devenait fou. Abandonner ses petites filles, à la nuit tombante, loin de la maison. En imaginant sans doute ce qui aurait pu nous arriver, Hélène s'est mise à gémir. Une souffrance enragée que j'entends encore certaines nuits de mauvais sommeil. Une crise où la bouche ouvre grand, mais d'où les sons sortent minces, à peine audibles. J'ai eu l'impression qu'elle allait étouffer.

Les yeux d'une femme qui n'a plus la force de son dépit ni la patience de son amour, soudainement envahie par la détresse jusque-là contenue, endiguée. Les yeux d'une femme par où s'échappait, à son tour, la maman que nous avions connue... Elle a dit aux policiers qu'elle voulait porter plainte, le faire arrêter, le faire soigner, le mettre en prison, l'empêcher de nous tuer. Elle était au bout de son rouleau. Tout le temps qu'elle a parlé ainsi de papa, presque tout bas, voix cassée, celui qui s'appelait Jean-Marie a mis sa main sur la tête de Geneviève et l'a promenée doucement dans ses cheveux fins. Plus tard, ils ont parlé de signalement, de loi et de plainte à porter.

J'avais aussi une plainte à porter, mais je n'avais ni les mots ni assez de force. En faisant signe que non, lentement de la tête, j'ai regardé dans les yeux le policier si gentil pour qu'il n'écrive rien de ce qu'il entendait ou qu'il déchire tout cela après notre départ. Soudainement, lui aussi eut l'air aussi fatigué que maman. Au retour, dans l'auto neuve d'une amie d'Hélène, on aurait dit qu'il ne restait rien du décor connu, familier même la nuit.

Le long du chemin, le blanc de chaque affiche dessinait le profil de papa avec le fusain des ombres, son portrait de face aussi avec des numéros sous le menton. Tout avait changé dans la succession des images. À Otterburn Park, exactement à la hauteur de la halte routière, n'échappait à la nuit que le panneau de mise en garde d'une autre saison: NOYADE DANGER. Je ne voulais plus que l'auto ralentisse jamais.

Le mouvement nous garde loin du malheur qui cherche à se produire. Il ne faut pas arrêter le voyage. Le jour où cela devient vraiment inévitable, il ne faut pas descendre de voiture avant d'être absolument certaine des souvenirs qu'on va trouver en pleine voie ou sur le quai.

Cartes postales

Comprendre, enfin, c'est inventer.

JACKY BEILLEROT

Ma mère savait lire dans les mains. Tout ce qui est écrit dans les plis d'une main, elle pouvait le lire. Facilement. Les gens disaient qu'elle devinait l'avenir, mais tout le monde répète bêtement des phrases que personne ne comprend. Ce que ma mère découvrait dans les mains est plus simple et plus difficile à croire. Dans ma tête de sorcier, je sais maintenant tout ce qui peut se passer devant les yeux lorsqu'on regarde d'une certaine façon.

Je sais pourquoi ma mère répétait tout le temps que c'était écrit, simplement, dans les lignes de la main. C'est vrai qu'il y a souvent de drôles de choses qui sautent aux yeux. Il y en a aussi de pas drôles. Au fond, les gens qui ne sont pas trop distraits ont peut-être juste peur de les voir... Mais ce n'est pas parce que les peureux n'osent pas regarder par les fenêtres que le monde s'efface derrière la vitre.

Ma mère savait lire les mains comme on lit un livre. Elle passait d'ailleurs plus de temps dans les livres que dans les mains. Même mes livres d'école. La grande différence entre les deux, disait-elle, c'est que les livres se referment moins facilement que les mains. J'ai appris à comprendre un peu ce que ça veut dire. J'ai gardé aussi son goût de lire et de trouver ce que les mots veulent dire.

Parfois, elle me prenait par les épaules en répétant que tout ce qui a de l'importance saute aux yeux. Par exemple qu'elle m'aimait... Puis elle me soufflait dans la partie chatouilleuse du cou en appuyant juste assez fort avec sa bouche pour faire le plus de bruit possible. Il me semble que cela faisait partie du rituel d'après le bain quand j'étais tout petit. Hélène en avait gardé l'habitude parce que cela nous faisait rire tous les deux. Même la dernière année, quand elle était très malade. Elle appelait ça du «brouchtabroucht».

Quand les gens repartaient de la maison après avoir ouvert leurs mains devant maman, elle s'étonnait parfois très fort qu'ils «voient» si peu ce qui sautait aux yeux. Lorsque quelqu'un lui disait qu'elle était chanceuse d'avoir ce don-là, Hélène corrigeait gentiment en disant que c'était plus une question de temps qu'une question de don. Lorsqu'elle est morte, elle m'a laissé un peu de son don et beaucoup beaucoup de temps.

C'est sans doute pour cette raison que je suis arrivé à lire toutes sortes de choses compliquées. Des romans, des poèmes et des cartes postales. Pour les cartes postales, cela peut sembler facile à faire si on pense aux mots écrits au dos: à peu près toujours les mêmes platitudes, les mêmes niaiseries. Mais moi, je ne lis pas les cartes sur le côté du texte. C'est comme si je voyais des mots du côté de la photo, des messages entre les images. C'est plus rare.

Je réussis presque toujours, même si j'ai souvent l'air d'avoir vu quelque chose d'impossible ou d'avoir dit une sottise. Parfois, cela prend du temps à arriver. Difficile d'expliquer ce qui se passe. Mais après tout ce qui s'est produit depuis le début de l'année, je me sens moins perdu, moins seul dans mon coin et surtout moins enragé. Presque chaque matin de l'année, j'ai eu hâte de revenir à l'école pour retrouver mes amis. Surtout Madeleine! Même si elle fait moins de blagues qu'avant, moins de jeux de mots nonos. Elle a peut-être un peu peur de moi. Cela me fait de la peine, mais je la comprends.

Quand je regarde sans rien chercher, je découvre sur les photos qu'on m'apporte des choses que personne ne remarque. C'est pourtant bien là. Il faut croire que la plupart des gens sont aveugles ou ne savent pas dire ce qu'ils voient. Ils répètent ce qu'ils entendent dans les «beaux-parleurs vides», comme dit Madeleine. C'est probablement pour ça que, l'année passée, tout le monde répétait: «Y a rien là! Y a rien là!»

Ma mère disait que les gens sont «coque-l'œil». Je ne suis pas sûr d'écrire le mot «coque-l'œil» comme il faut parce qu'il n'est pas dans mon dictionnaire. Je n'écris pas toujours les mots sans faute, mais je me force encore plus qu'avant. Après souper, quand je ne flâne pas au bord de la rivière, j'écris dans mon cahier.

De fait, je cherche dix fois plus de mots dans le vieux dictionnaire que j'en écris sur chaque page. Je suis peut-être en retard de deux ans à l'école, mais ce n'est pas à cause du français. Quand je ne suis pas certain, je demande à Christiane. C'est important si je veux bien raconter ce qui arrive. Alors je m'enferme dans ma chambre pour écrire. Des murs dans ma tête.

La première semaine d'école de cette année, Christiane nous avait demandé d'apporter une carte postale. Une carte qu'on avait reçue durant l'été ou une carte que quelqu'un de la famille avait reçue. Une vieille ou une récente, pas d'importance. Nous devions l'utiliser pour commencer à parler de sciences humaines et de français.

Elle ne nous avait pas expliqué vraiment ce qu'elle voulait faire avec, mais on a bien vu le lundi suivant. C'était surtout pour nous faire parler. Pour briser la glace, comme elle disait. C'est souvent comme ça au début de l'année: la maîtresse arrive avec un petit jeu pour nous embarquer dans son bateau.

Il y en a qui ont de bonnes idées.

Aujourd'hui, j'ai l'impression que Christiane regrette d'avoir choisi ce jeu-là parce que ce n'est pas la glace qui s'est brisée. C'est encore ma faute. Je n'avais pas apporté de carte postale. Même si je voyage d'une famille à l'autre depuis trois ans, je n'envoie pas beaucoup de cartes. Et je n'en reçois jamais non plus.

Christiane l'avait prévu parce qu'elle me connaît bien. Elle était aussi ma maîtresse l'année passée, en cinquième. Je suis content qu'elle ait une sixième cette année. C'est toujours la plus gentille. En arrivant en classe, elle avait glissé sur mon pupitre, entre deux cahiers, une belle carte postale. La seule comme ça! Pas de plage pleine de fesses et de Mickey Mouse, pas de cathédrale, pas de château pour faire rêver les pauvres, juste une maison ordinaire en brique jaune.

Devant la maison, on voyait un bel arbre qui avait perdu la moitié de ses feuilles. Un érable je crois. Il y avait aussi deux bicyclettes. Une bicyclette de gars, mal appuyée sur l'arbre et l'autre, pas de barre en haut, accotée sur la maison.

C'était à mon tour de dire le nom du pays d'où venait la carte mais je n'avais pas encore regardé de l'autre côté de la photo.

— C'est de valeur pour la fille...

— Veux-tu répéter le nom du pays, Gabriel? Parle plus fort.

— Il y a une bicyclette de trop sur la photo.

Christiane n'a pas compris ce que j'ai dit parce que Éric continuait à faire le malade avec sa carte postale. Son père lui avait envoyé la photo d'un singe de Floride. Je devrais plutôt écrire qu'il lui avait envoyé, *de la Floride,* la photo d'un singe, mais Éric répétait sans arrêt que c'était un singe de Floride... un singe de Floride. Il y en a apparemment beaucoup là-bas et il avait commencé à les imiter un par un. Christiane finit par lui dire qu'il avait beaucoup de naturel. Toute la classe a éclaté de rire.

De toute façon, la période était presque finie et Christiane, se tournant vite au tableau, a écrit le nom du pays qu'elle voulait me faire dire: DANEMARK. C'est de là que ma carte venait.

Toute la classe est sortie au son de la cloche pour la récréation, sauf Julie, Édith, Dominic et moi. Je ne sais pas pourquoi les trois autres sont restés mais je m'en doute. Une téteuse, une peureuse, un aveugle... Moi, c'est parce que Christiane m'avait fait signe d'aller la voir. Madeleine m'attendrait dans la cour.

— Qu'est-ce que tu disais, Gabriel, au sujet de la carte postale? J'ai compris un mot sur trois à cause du bruit. Tu parlais des vélos sur la photo.

— Ah! oui c'est vrai! Je trouvais ça triste que le gars soit mort.

— Voyons Gabriel, il n'y a pas un chat sur la photo. Encore moins un mort! Qu'est-ce que tu racontes là? Es-tu en train de devenir maboul? C'est pas ton genre de blague.

— C'est pas une blague, Christiane. J'ai vu ça sur la photo. C'est sorti tout seul. Il n'est peut-être pas mort pour vrai, mais c'est certain qu'il y a une bicyclette de trop sur la photo. C'est celle du gars qui ne reviendra pas la chercher. Il y a des feuilles jaunes partout sur les pierres de la cour. Je ne sais pas pourquoi, mais c'est certain: le gars ne reviendra pas.

J'ai repris la carte postale sur son bureau pour lui montrer ce que je voyais. Elle m'a dit alors qu'elle n'avait besoin de personne pour lui décrire une photo qu'elle regardait chaque jour depuis deux semaines. Avec une drôle de voix, elle m'a conseillé de revenir sur terre et d'arrêter de faire le zouave.

Je devine ce qui s'est passé dans sa tête. Elle s'est dit que, depuis la mort de ma mère, je changeais trop souvent de famille d'accueil, que je ne tiendrais pas encore jusqu'à la fin de l'année. Elle avait l'air inquiète pour moi. Fatiguée aussi...

C'est un peu normal. Les premiers jours de l'année, tout le monde est encore excité par les vacances. Les professeurs ont toujours la voix plus faible. Moi, je ne voulais pas que Christiane se fasse trop de misère, ni surtout lui en faire. Il n'y a jamais eu de maîtresse qui a pris le temps de me parler comme elle. On dirait qu'elle sait où je suis quand je regarde par la fenêtre et que je ne réponds pas aux questions.

Dans la cour d'école, Julie m'a traité de grand niaiseux puis elle est allée tout raconter à ses amies. Dominic, qui fait rire de lui à cause du verre épais de ses lunettes, est venu me demander comment je faisais pour avoir d'aussi bons yeux et où j'achetais mes super-carottes.

Je ne savais pas s'il voulait se moquer de lui ou de moi. On dirait qu'il a des yeux de ouaouaron avec les verres de ses lunettes qui ressemblent à des loupes. Tous les élèves de l'école passent leur temps à le niaiser. Sauf Madeleine qui se promène à chaque récré avec sa sœur Geneviève qui est en deuxième. Classe spéciale.

Je leur ai raconté ce qui s'était passé en demandant à Madeleine si elle pouvait me dire pourquoi Christiane avait pris sa voix fâchée pour me répondre. Pas vraiment fâchée, mais comme énervée par ce que j'avais dit de sa carte postale. En me plaçant son index sur le front, elle a répondu que j'étais juste un *gars-gars* qui ne comprenait rien au *Dame*mark. En insistant sur le ME pour que je comprenne la plaisanterie. Quand la cloche nous a rappelés en classe, je me suis dit que l'année commençait mal. Encore une fois...

À la fin de la journée, toute la classe parlait de la carte postale du Danemark et de ce que j'en avais dit. Parce que je suis trop grand pour être en sixième et que je ne parle pas souvent, c'est facile de me prendre pour un débile. Mais Christiane n'était plus fâchée. En sortant, elle m'a touché l'épaule en glissant sa main sur mon bras et m'a rappelé tout bas de bien travailler, mais de me reposer aussi. J'aime assez aussi quand elle relève mes cheveux pour me regarder dans les yeux, qu'elle «ouvre les rideaux», selon son expression...

Tout de suite après souper dans ma dernière famille de rechange, j'ai même essayé de faire des mathématiques sur la table de la cuisine. Pendant que son mari se laisse pousser le ventre dans le salon, ma nouvelle mère à l'essai, tante Hortense, passe ses soirées à rouler des montagnes de cigarettes dans sa vieille machine à manivelle. J'ai commencé à les compter, puis, étourdi, je lui ai demandé si elle fournissait les Mohawks. On ne le croirait pas, mais l'étude des mathématiques c'est parfois très dangereux...

Plus tard, pendant l'émission *La vie des gens riches et célèbres,* j'ai téléphoné à Madeleine pour la mettre au courant des nombreux dangers du tabac. Ce que j'aime chez elle c'est sa manière de rire de tout, en tout cas d'avoir l'air de ne pas trop s'en faire avec les choses pénibles. On dirait qu'elle arrive à tenir le comique de ses mots loin de la peine de ses yeux. Si elle ne réussit pas toujours, cela ne paraît pas souvent.

Il faut dire qu'elle a eu de la difficulté l'an passé quand ses parents se sont séparés. Son père s'était fait arrêter parce qu'il l'avait abandonnée, avec sa sœur Geneviève, sur le bord de la route. Il s'est retrouvé devant le juge. Pendant plusieurs semaines, Madeleine commençait des phrases qu'elle oubliait de finir. Elle faisait moins de plaisanteries et ne souriait plus qu'à sa petite sœur. C'est encore un peu comme ça parfois. Je me demande ce qui est le pire: ne plus avoir de parents ou en avoir qui s'arrachent le cœur.

Vers la fin de l'année passée, Madeleine racontait que son père s'était poussé dans la forêt du Poucet, de l'autre côté de la mer, et que tout cela avait rendu sa mère malade. Elle parlait toujours de sa mère en l'appelant par son prénom: Hélène. Vu que la mienne avait le même, les premières fois que je l'ai entendu, cela m'enrageait, me mettait à l'envers.

Maintenant, c'est un peu comme si nous avions la même mère, comme si la mienne était revenue. J'imagine ce que je veux d'autant plus facilement que je n'ai jamais vu la maman de Madeleine. Je me suis demandé souvent pourquoi elle ne m'invitait jamais chez elle. Chaque fois que je lui ai posé la question, Madeleine a toujours trouvé des réponses pour me faire rire, des raisons complètement folles.

Un soir, c'était parce qu'elle devait débosser le bout des souliers de sa sœur Geneviève qui passait la journée à donner des coups de pied dans les tibias du monde. Le lendemain, elle remplaçait leur vieux tourne-disque en chantant toute la soirée des berceuses à sa mère pour qu'elle s'endorme sans pleurer. Une autre fois, elle faisait du bouche-à-bouche à un loup édenté, ou vérifiait si la fée Carabosse avait bien mémorisé le Code civil. Des histoires de fou qu'elle invente sans rire.

Pendant toutes les vacances de l'été dernier, je me suis demandé pourquoi, vraiment, je ne pouvais pas entrer chez elle. Au moins maintenant je sais pourquoi je ne pourrai plus le faire. Je ne me pose plus de question là-dessus. Pas après l'histoire de la carte postale du Danemark. Peut-être que j'aurais dû me taire en classe. Je ne sais pas. Mais c'est certain que j'aurais dû me retenir dans la cour d'école.

Au début du mois d'octobre, par un autre de ces lundis matin de gruau aux grumeaux, Christiane ne nous attendait pas en classe avec ses bonjours joyeux. La suppléante n'avait pas les yeux verts ni les lunettes roses de Christiane, ni le bonjour trop enjoué. Plutôt l'air en crisse, elle nous a dit que notre maîtresse était en congé pour quelques jours.

À entendre Éric roter comme un cochon par-dessus le bougonnage général, j'ai compris que je n'étais pas le seul à être déçu. Puisque, le vendredi d'avant, Christiane avait fini la semaine en pleine forme, j'ai pensé qu'il y avait quelqu'un de mort dans sa famille. Au bout de trois jours, la remplaçante a failli offrir un congé comme celui-là à son mari et à ses enfants.

Éric avait inventé un jeu avec des boules piquantes de grakias. Il en avait distribué des gros paquets à tout le monde et presque tout le monde a joué. Il s'agissait de faire tenir le plus de piquants possible sur la remplaçante sans qu'elle s'en aperçoive.

Dès le début de la première période, Mme Vincelette en avait partout dans le dos, plein la robe dont les fesses larges tournaient au vert à vue d'œil. Sur certains vêtements, en laine je pense, les grakias s'accrochent comme la misère. C'est presque de la magie. Sa jupe devait être pure laine et sa veste aussi: au bout de cinq minutes, elle avait l'air d'un plant de tabac du diable.

C'est quand elle a voulu s'asseoir à son bureau qu'on a éclaté de rire. Elle a passé sa main sur l'arrière de sa jupe pour la ramener un peu en avant, puis elle a hurlé en secouant les doigts. Un cri de mort comme dans les films d'horreur. Mais en plus fort, plus longtemps...

Éric est tombé en bas de sa chaise. Mme Vincelette avait des amoureux plein le dos! À l'école c'est comme ça qu'on appelle les boules de grakias. Des amoureux!

Quand Christiane est revenue à l'école, j'ai appris que le vrai mot c'était «bardane». J'ai appris autre chose aussi de plus important. Elle m'a dit la vraie raison de son absence. Elle ne l'a dite qu'à moi. Son amoureux l'avait laissée. Elle avait beaucoup de peine et plus de colère encore. Le vrai mot pour ça, c'est «dépit». Je n'oublie rien de ce que Christiane m'explique. Si quelqu'un m'avait appris ce mot avant, j'aurais eu l'occasion de m'en servir souvent. Je le lui ai dit pour la faire sourire un peu. Elle est au courant.

Son ami n'était pas revenu de voyage et lui avait écrit qu'il restait là-bas quelques mois, qu'il n'avait plus le goût de rentrer... Là-bas, c'était le Danemark. C'est lui qui avait envoyé la carte postale avec les deux bicyclettes. La voix de Christiane tremblait un peu quand elle m'a demandé, après la classe, comment j'avais pu deviner ce qui se passait à partir de la photo. Je n'ai pas su quoi répondre. J'ai pensé à ma mère.

Je suis certain qu'elle y pensait elle aussi.

Édith et Julie, qui écorniflaient près de la porte de la classe, ont tout écouté. Le lendemain, toutes les oreilles de l'école les entendaient crier à tue-tête:

— Gabriel est un sorcier! On a un magicien dans la classe!

— Sorcier! Sorcier!

— Peux-tu nous faire une potion magique, Panoramix?

— Veux-tu une marmite?

— On va lui acheter une boule de cristal.

Je n'ai pas trouvé cela très drôle. Déjà que tout le monde crie tout le temps dans ma nouvelle famille d'écueil, comme dit Madeleine, je n'avais pas le goût, en arrivant à l'école, de me faire taper sur le tympan par les cigales d'automne. Éric surtout me fatiguait avec sa face de singe et sa voix de mouette.

On se connaît depuis la maternelle, lui et moi. La boule de cristal qu'il disait vouloir m'acheter, c'était pour faire une allusion à ma mère. Un peu chien... C'est son style. Lui aussi devrait être au secondaire depuis un bout de temps, mais on n'a pas les mêmes raisons d'être en retard sur le troupeau. C'est un méchant malade, un achalant naturel. Pendant les cours, dans l'autobus, partout, il n'arrête jamais d'écœurer.

Moi, il m'avait toujours laissé tranquille. Je suis presque aussi grand que lui et j'ai déjà frappé une suppléante quand je faisais des crises. Il faut croire que ça impressionne. Mais là, la tentation était plus forte que lui...

Pendant la récréation, il n'arrêtait pas d'agiter sa maudite carte postale maganée devant ma figure, sous mon nez.

— Aïe! Gab qu'est-ce que tu vois sur ma carte? Hein! As-tu peur? Fais donc le sorcier. C'est de famille. Sors ta boule, ça va être drôle.

Personne autour ne le trouvait drôle. Surtout pas Madeleine qui n'endure pas la chicane et se met toujours à crier comme une folle quand il y a des bagarres dans la cour.

— As-tu peur, le cave? Regarde ma carte, Gab! Regarde donc!

Mon nom c'est Gabriel. Ma mère ne voulait jamais qu'on m'appelle Gabi. Encore moins Gab. Je m'ennuie toujours de sa voix qui m'appelle. Alors, j'ai pris la carte postale chiffonnée d'Éric. Je l'ai regardée un peu. Ou plutôt j'ai fait semblant. Puis, je lui ai dit que je savais exactement pourquoi sa face de singe grimaçait de cette façon-là.

Lui aussi l'a su, deux secondes plus tard, quand il a reçu mon poing sur le nez. Je pense qu'il y avait la moitié des élèves de l'école autour de nous. Éric est un peu plus grand que moi, mais j'ai eu facilement le dessus. Il n'avait pas prévu ma réaction. Moi non plus d'ailleurs. Les surveillantes finissaient de lui faire cracher les morceaux de photo que j'avais commencé à lui faire avaler, quand j'ai vu que Madeleine s'éloignait de nous, entraînant sa sœur vers les portes du gymnase.

On aurait dit deux têtes de corneilles. La plus grande regardait par terre. La petite tournait sans cesse, voulait voir derrière. La cloche a sonné au moment où elles arrivaient à l'entrée. Cela m'a fait une mauvaise impression.

Éric ne m'a plus achalé, plus parlé, plus regardé. Le problème, c'est qu'on dirait que Madeleine m'en veut aussi depuis ce jour-là. Elle m'attend encore avec Geneviève aux récréations, mais il y a quelque chose de changé. C'est curieux. Quand je lui demande ce qui se passe et pourquoi son front est tout plissé lorsqu'elle me regarde maintenant, elle dit que c'est parce qu'elle a négligé d'appeler la police. Puis elle tourne le dos.

À cause de cela et de bien d'autres choses, l'année me tord souvent le cœur, me fait de l'écho dans le coco. D'abord, après la bagarre, le directeur de l'école m'a eu à l'œil pendant un bout de temps. J'ai cru qu'il ne voulait pas que je recommence mes crises des années passées. Heureusement, Christiane lui a expliqué ce qui s'était passé avec Éric en racontant toute l'histoire de la carte postale. Heureusement ou malheureusement, je ne sais pas.

Il a commencé alors à me regarder d'une autre façon. Comme s'il me surveillait autant qu'avant mais pas pour les mêmes raisons. Il me parlait de toutes sortes de choses: de musique, de ma dernière famille d'accueil, et même il me parlait de voyance. J'étais plutôt méfiant. Un peu avant le congé de Noël, un lundi après l'école, il m'a fait venir à son bureau.

— Gabriel, je voulais que tu viennes me voir pour te demander quelque chose de particulier, pas pour te sermonner.

— Ça fait différent...

— Écoute. Il y a quelques semaines, Christiane m'a raconté ce qui s'est passé au début de l'année avec la carte postale.

— Vous ne l'avez pas crue? Vous voulez des explications? Une démonstration peut-être?

— Non. Cela te surprendra peut-être, mais je suis certain que tout ce que Christiane a dit est vrai. Je me souviens de ta mère et de ce qu'elle pouvait faire. Je l'ai bien connue ta mère. Je pense que tu as son don. Veux-tu m'aider?

Je suis ressorti de son bureau assez mêlé merci. J'avais fini par lui poser plein de questions sur Hélène. Il l'avait connue c'est certain. Elle avait sûrement tenu sa main et lu dedans quelque chose qui l'avait impressionné. J'aurais voulu savoir quoi.

Trois fois je suis retourné à son bureau pour en apprendre plus long. Il croyait que je comprenais mal son problème, mais c'est plutôt lui qui ne voyait pas le mien. Le sien était assez simple: sur les quinze enseignants de l'école, treize bavassaient derrière lui, voulaient sa peau de directeur.

— Autrement dit, monsieur, dans vos bureaux c'est comme en récréation mais sans surveillance. Des drapeaux plantés dans le dos, des couteaux cachés, des enragés...

— Il ne faut peut-être pas exagérer, Gabriel.

— Pourtant, si vous me demandez de l'aide...

— Bon. Je suis certain qu'il y a quelqu'un parmi le personnel enseignant qui veut que je craque, que je démissionne. Je ne sais pas trop pourquoi. Je suis sûr qu'il y en a un qui monte les autres contre moi. Tu comprends? Un seul, ou une seule, qui fait tout pour m'écœurer.

— Autrement dit, vous voulez savoir qui s'appelle Éric dans votre groupe? Une espèce d'Éric, mais en grand format, le cœur pourri pareil mais plus subtil, avec des diplômes.

— Tu ressembles à ta mère, Gabriel. Son côté cinglant. J'imagine que cela vient avec le don.

Il m'a encore parlé de maman. Sa façon de répondre à ceux qui se moquaient d'elle, de mettre les gens en boîte sans jamais perdre sa bonne humeur. Même sa belle voix lente, il s'en souvenait bien. Il trouvait qu'elle disait toujours très doucement les choses terribles. Comme pour les rendre plus faciles à avaler.

Je me suis demandé pourquoi M. Leclerc ne m'avait pas plus souvent parlé de ma mère avant cette année. À chaque récré, je n'arrêtais pas d'achaler Madeleine en lui rapportant tout ce que le directeur m'avait rappelé d'Hélène. Ses pouvoirs étranges, le vivoir toujours plein de plantes et de fleurs où elle recevait les gens quand nous habitions près de la rivière, sa façon de mettre en boîte les moqueurs ou les jaloux. À un moment donné, Madeleine m'a dit que la sienne aussi s'entraînait sérieusement à la mise en boîte. Visage fermé. Elle ne répond presque plus quand je lui parle des beaux souvenirs qui me reviennent d'Hélène grâce au directeur.

J'ai fini par accepter de regarder sa photo.

Une photo de groupe. Quinze professeurs, dix femmes et cinq hommes. Directeur au centre. Le même homme qui a connu ma mère et qui parle sans cesse d'elle en attendant que j'ouvre la bouche. Je ne suis pas pressé. J'écoute. Il se souvient de ses yeux verts. Si semblables à ceux de Christiane.

— La carotte à Ducharme qui se prend pour Rambo avec sa classe de cinquième. Pas besoin d'être voyant. C'est le seul qui rit comme un malade. De quoi se décrocher la ganache.

— Es-tu sûr de ça, Gabriel? C'est lui qui m'encourage le plus depuis deux ans. On mange ensemble tous les mercredis. Tu n'as pas regardé comme il faut. Pas Ducharme!

En quittant le bureau, j'ai, semble-t-il, haussé les épaules «... comme le faisait la belle Hélène». Il y avait bien longtemps que personne n'avait prononcé le prénom de ma mère comme il l'a fait... Je me suis retourné. M. Leclerc n'avait plus l'air d'un directeur d'école. On aurait dit qu'il ne voyait plus très bien ce qui se passait devant lui. Il me faisait penser à Dominic. Je lui ai souhaité joyeux Noël.

Après les vacances des Fêtes, j'ai presque perdu le contrôle. J'avais l'impression que l'écho allait revenir encore dans ma tête, le vertige épouvantable des dernières années. Pourtant, rien n'allait plus mal que d'habitude dans ma famille d'accueil. La platitude habituelle. Pas de gros problème non plus à l'école. M. Leclerc ne me faisait plus la vie dure. Au contraire. Il avait eu le temps de vérifier ce que j'avais vu sur la photo de groupe et m'avait mis la main sur l'épaule dans le corridor, juste avant que j'entre dans la classe.

— Noël, l'étable, la paille, c'est un beau temps pour prendre le taureau par les cornes. Merci pour le tuyau, Gabriel!

— Le taureau à Ducharme?

— Ne sois pas trop bête...

On a éclaté de rire tous les deux. Moi aussi, depuis que je connais Madeleine, j'aime bien les farces plates. Surtout les moins fines.

Je me sens loin des autres élèves de ma classe. Il faut dire que si je n'avais pas fait l'abruti, je serais déjà au secondaire depuis un bout de temps. Il faut croire que je n'arrivais pas à me contrôler, ni à étudier, ni à rien faire comme du monde. Ma mère serait-elle toujours fière de moi? Je pense encore souvent à ça.

Quand j'en parle à Christiane, elle me dit que ce n'est pas si grave de ne pas être au secondaire à mon âge, que j'y serai l'an prochain et qu'il n'y a pas de temps perdu dans la vie, juste des détours. Des petits détours souvent qui ne se voient presque pas, qui disparaissent complètement au bout du chemin. Peut-être, mais c'est justement à cause de ces petits détours que j'ai failli perdre le contrôle à la fin du mois de février.

Évidemment, tous les professeurs ont fini par apprendre que j'avais un don. Ils ont dû se dire aussi que ça ne coûtait pas cher de m'apporter une carte ou une photo. En faisant plein de détours...

— Pourrais-tu me dire, Gabriel, ce que tu vois dans ce dessin-là? Ma compagne a une petite fille de cinq ans qui...

— Gabriel, je t'ai apporté une photo de voyage. C'est mon mari avec un couple d'amis, l'été dernier...

Le concierge voulait me laisser son album de famille. Pourquoi pas ses diapositives de Floride une fois parti? Je pourrais peut-être prédire le prix des pample-mousses! Ou reconnaître de sa parenté parmi les citrons. C'est pourtant vrai que l'avenir se lit dans les oreilles de Mickey Mouse. Ou dans ses gosses.

Il ne manquait plus que les photos sur le *Journal de Montréal.* Je me disais qu'à la visite annuelle des policiers de la ville, on me surnommerait probablement Rex. «Cherche, Rex! Bon chien. Cherche!»

Même tante Hortense, dans la fumée de ses rouleuses et des téléromans, a fini par apprendre ce qui m'arrivait à l'école. Elle et son gros vendeur de vide ont tout de suite vu le profit qu'ils pourraient tirer du chien savant. Ils se sont mis alors à recruter des clients dans leur famille. Heureusement, Madeleine m'a suggéré une bonne façon d'interrompre la procession des crétins dans la cuisine de tante Hortense.

Plutôt que de prédire l'avenir, je me suis mis à dévoiler le passé en racontant toutes les cochonneries qui me passaient par la tête. J'en ai vu assez depuis trois ans que je n'ai pas eu à faire trop d'efforts pour les faire blêmir... Des histoires sales, de cul, d'argent volé, d'enfants battus, des histoires pour les faire tousser... Et puis j'ai appris qu'avec les tordus, on n'en met jamais trop. C'est pour cela que les adultes ont inventé toutes les poudres à maquiller. Le nez surtout. Et toujours le dedans.

En mars, j'étais en train de devenir cinglé. À l'école, quand je regardais ce qu'on me plaçait sous les yeux, je voyais des choses parfois qu'il valait mieux ne pas dire. En refusant de parler, je me faisais bouder. Alors, j'ai décidé de fermer les yeux aussitôt que quelqu'un sortait une photo, un dessin ou une carte postale de son sac. Pas un mot à personne à partir de là. Sauf pour Dominic les barniques.

Sa marraine lui avait envoyé une drôle de carte pour son douzième anniversaire de naissance et il n'arrêtait plus de m'en décrire l'image. J'ai fini par avoir l'impression d'en connaître chaque ligne, chaque figure, chaque forme et toutes les couleurs. Un étrange dessin ou plutôt une toile. J'ai cru aussi comprendre qu'il s'agissait d'une marraine d'un modèle spécial. Elle n'avait pas de bras et faisait des peintures avec sa bouche.

— Tu devrais voir ça, Panoramix! Elle les vend pour faire des cartes de vœux. C'est sûrement sa plus belle qu'elle a envoyée pour ma fête. La toute dernière qu'elle a faite. Tu devrais voir ça.

— O.K.! Apporte-la demain ta fameuse carte. Comme ça tu vas arrêter de me téter.

La curiosité m'avait finalement poussé à la lui demander. Mon côté fouine, aurait dit maman. Il faut dire que j'avais hâte de voir la peinture en question. Une vieille manchote qui peint pour un jeune aveugle! J'ai un peu honte en écrivant cela aujourd'hui. Surtout que, dans le fond, j'avais peur d'apercevoir quelque chose qui ferait de la peine à Dominic. Plus peur encore pour lui que pour tous les autres avant. Mais c'était plus fort que moi.

— Tu parles d'une carte d'anniversaire, Dominic!

— C'est peut-être pas une vraie carte de fête, mais elle me l'a envoyée pour mes douze ans. Ça fait pareil. Une fois, elle m'a envoyé un champ de marguerites pour Noël.

— Elle t'envoie toujours des peintures comme ça?

— Oui. Je pense qu'elle choisit sa plus belle, peu importe quand ça tombe.

— En tout cas, celle-là est plutôt bizarre avec son clown à grandes lunettes roses. T'es sûr qu'elle ne veut pas rire de toi, ta marraine?

— Fais pas exprès, Gabriel. Ma marraine vit aux îles de la Madeleine et n'aime pas trop voyager. Tu comprends... La dernière fois qu'elle m'a vu j'avais quatre ou cinq ans. Elle ne sait pas que je ressemble à un ouaouaron.

— Exagère pas non plus!

— C'est pas vrai que tout le monde m'appelle le ouaouaron?

— Écoute, Dominic, les autres m'appellent toujours «Boule» et Madeleine, «Maboul»... C'est pour rire. Il y en a même un qui m'appelle encore Panoramix. Tu le connais peut-être?

— Justement, Panoramix, vois-tu d'autres choses que des lunettes roses et des bouffons sur la peinture de ma marraine?

S'il y a quelqu'un dans l'école à qui j'aurais voulu annoncer quelque chose de beau ou de drôle, c'est bien Dominic Poissant. Mais il n'y avait rien de spécial sur sa carte. Trois clowns. Un petit, au premier plan, avec un visage triste qu'on voit de profil (ma mère aurait dit «une face de carême») et un grand à lunettes immenses, démesurées, qui s'amène de face. Le troisième est loin derrière. Une fille, je crois. On dirait qu'elle observe les deux autres.

Le premier regarde vers le ciel. On se demande ce qu'il voit. L'autre lui tend trois ficelles avec des ballons à chaque bout. On dirait des grosses bulles de savon comme on en faisait, plus jeunes, avec un reflet qui dessine une fenêtre dessus. Mais on ne voit que deux de ces ballons au complet. Le troisième est en dehors de la carte, exactement au-dessus de la tête du petit. Forcément.

Dominic voyait la même chose que moi. Un peu moins bien, comme il disait pour me faire rire, mais la même chose. Je voyais les mêmes visages que lui. Rien de plus. Dans toute l'année, pour tout ce qu'on m'a demandé de regarder comme photos, dessins et autres barbots, rien ne me parlait moins que sa carte. Il fallait bien que la panne soit pour lui. J'aurais aimé lui faire plaisir, mais je ne pouvais pas faire semblant.

La plupart des élèves ont fini par me laisser assez tranquille avec leurs questions et leurs cartes postales.

Soit qu'ils manquent de photos ou qu'ils manquent de courage. Vu qu'ils n'ont pas arrêté d'écœurer Dominic, ils doivent manquer de courage. Plus la fin de l'année approche, plus la classe lui fait la vie difficile.

Quand je ne suis pas là, Madeleine le défend comme elle peut, mais elle en a déjà plein les bras avec sa petite sœur qui frappe tout le monde, y compris Dominic. Un jour, j'ai voulu l'empêcher de lui donner des coups de pied en la secouant un peu par les épaules. Madeleine m'a dit que si je touchais encore à Geneviève, je tomberais dans un film d'horreur. Je ne sais pas ce qu'elle a voulu dire, mais j'ai encore peur quand je pense aux yeux qu'elle avait en disant ça.

Depuis quelques semaines, Christiane demande souvent à Dominic de rester en classe pendant la récréation. Je crois que c'est pour lui montrer des choses qu'il ne verrait pas bien autrement. Lui expliquer des choses dans son cahier plutôt qu'au tableau. Pour éviter que les autres se moquent encore de lui. Elle est patiente.

Je vais m'ennuyer d'elle au secondaire, l'an prochain. Surtout si Madeleine continue à me bouder. Il y a quelque temps, Dominic a dit que ma voix changeait un peu quand je répondais à Christiane en classe. J'ai fait l'hypocrite. Mais lui, je le sais trop bien, c'est la voix qu'il sait lire... J'ai quand même fait l'innocent.

— Comment ça, ma voix change quand je parle au prof?

— Moi aussi, Gabriel, je vais m'ennuyer d'elle. Si je passe mon année...

— Si tu passes ton année! Les nerfs, Poissant! Tu m'apporteras ton bulletin. J'ai pas pu lire ta carte de fête, mais je pourrai au moins lire ton bulletin de fin d'année. Tu sais ce que je vais voir? Qu'on va se retrouver au secondaire tous les deux. C'est certain.

Il m'a dit de ne pas hésiter à ce moment-là, si j'avais besoin de sa loupe pour les petites notes... Même pour décoder les mystérieux dessins de sa marraine, il pourrait me la prêter avec plaisir. On a pouffé de rire tous les deux. C'était pendant un cours de français, une recherche... Christiane nous a regardés avec des gros yeux. J'ai demandé à Dominic si elle avait attrapé ça de lui. Morts de rire!

Julie et Édith ont tourné les yeux au plafond en levant les épaules. Toutes les filles de sixième se voient déjà au secondaire en train de sortir avec un gars du cégep. Sauf Madeleine. Elle regarde maintenant presque toujours par terre et ne nous parle plus souvent. À voix basse, comme un secret pesant, Dominic m'a fait remarquer qu'elle ressemble de plus en plus au clown triste de sa carte d'anniversaire. Il est pas mal moins insignifiant que Julie et les autres du même troupeau fluo.

Christiane a dit qu'elle allait nous faire travailler souvent ensemble d'ici la fin de l'année. Dominic ne demande pas mieux. Elle vient nous voir pour vérifier si le travail avance. Je ne demande pas mieux. Chaque fois, Dominic me fait un clin d'œil. Fous rires. Christiane ne se fâche pas.

— Est-ce que c'est le beau temps qui vous excite, les gars? Les vacances vous travaillent déjà?

Son sourire n'est pas tout à fait revenu comme avant, mais c'est évident que l'ami du Danemark peut maintenant avaler son vélo. Je n'ai pas besoin de photo pour le deviner. Ses yeux sont moins absents, moins distraits qu'il y a un mois.

Pendant une récré, j'en ai fait la remarque en lui demandant si les vacances la travaillaient aussi. Elle a répondu que le printemps finit toujours par mettre du vert sur le gris. Silencieuse jusque-là, Madeleine a murmuré que le printemps, chez elle, apportait plutôt du vert-de-gris. Christiane l'a prise par le cou. Même si ce n'est pas son professeur, je suis certain qu'elle sait pourquoi Madeleine Kérouack a attrapé le chagrin de ses yeux.

Dominic et moi, nous avons cherché la définition de vert-de-gris dans le dictionnaire. Rien à comprendre. J'ai demandé à Madeleine si c'était de la chimie. Elle m'a dit que c'était plutôt de la chimio. Puis elle s'est mise à pleurer sans faire de bruit. J'ai cherché le mot.

Hier matin, Christiane a apporté son Polaroid en classe. Chaque année vers la fin du mois de mai, elle prend des photos de ses groupes. Une coutume d'il y a plusieurs années, dans les collèges et les couvents, et elle trouve que c'est une bonne idée. Elle se fait donc un album de toutes ses classes d'élèves.

— Quand la vieillesse m'aura ridée, dit-elle, cela me déridera.

Difficile d'imaginer ses joues appétissantes plissées comme la pelure d'une vieille pomme. Pendant la récréation, elle est encore venue marcher dans la cour avec nous. On aurait dit que l'été tournait autour de sa robe lilas. Il faut croire que l'été aussi aime son parfum. Quand Madeleine est arrivée avec sa sœur, Christiane a tout de suite dit qu'elle aimerait faire une photo de nous quatre. Dominic s'est placé à côté de Geneviève, devant moi et Madeleine.

Nous étions presque appuyés sur la clôture. Pour nous faire sourire, Christiane a dit que si le fond de la cour était affreux, notre fond, lui, était à son goût. Cela fait plaisir et c'est plus efficace que le *cheese* ou le petit moineau à surveiller.

Son appareil a produit le même sifflement aigu que j'avais entendu en classe pour expulser la photo, comme s'il tirait la langue. Après l'avoir détachée du rouleau, Christiane a enlevé la pellicule qui nous cachait la binette. Puis elle a agité l'épreuve afin qu'elle sèche parfaitement et nous nous sommes retrouvés autour.

Christiane répétait que nous avions l'air de vrais bouffons et qu'elle allait conserver précieusement cette photo dans son album de famille. Geneviève voulait la déchirer parce que Dominic lui avait fait deux plumes ou des cornes avec les doigts de sa main droite au-dessus de la tête. Lui jurait, évidemment, qu'il ne voyait rien de ça.

J'ai regardé attentivement à mon tour.

Tout comme Christiane, j'ai aussi vu des clowns sur la photo. Je les ai bien reconnus cette fois. Ils ne me sortent plus de la tête. Celui qui a les longs cheveux noirs et le sourire un peu triste ressemble à Madeleine. Il regarde vers le ciel. Une ficelle lui a glissé des mains. Le ballon au bout lui a échappé, mais il flotte au-dessus de sa tête, juste en dehors de la photo. Un ballon heureux comme ceux qu'on attache aux chaises quand tout le monde est encore là, autour de la table, pour les anniversaires.

J'en ai perdu un semblable il y a trois ans. Je sais qu'il y a une petite fenêtre dessinée dessus. On dirait un reflet mais c'est une fenêtre. Elle ne s'ouvre pas, mais quelqu'un nous y surveille tout le temps. Comme une bonne étoile. Je le dirai à Madeleine quand ça sera le temps.

À l'os

Ah que ce qui importe a peu de visage!

Un jour, Votre Honneur, le prince charmant s'est mis à rire pour des niaiseries. Mon prince charmant. Vous savez, celui que vous avez condamné à des travaux communautaires et qui est disparu après trois gallons de peinture et six mois de probation. Mikaël Kérouack. Une cause entendue, oubliée dans vos rôles sans doute, classée dans vos souvenirs de papier. Mais pas dans les miens. Pas dans les miens.

Aucun psychologue, aucun travailleur social ne vous a dit ce qui s'est passé vraiment. Je vais le faire avant que la douleur emplisse tout mon corps ou que les calmants le vident.

Il n'y a pas si longtemps, un homme heureux, un conteur de merveilles pour ses enfants s'est retrouvé dans la mauvaise histoire. Vous savez, celle où on le congédie pour l'équilibre des comptes, petites pertes et gros profits... Alors, au chapitre des finances, au bout de son crédit, il s'est mis à se moquer de tout. La cruauté de la honte est contagieuse. Chaque visage de la sottise le rendait méprisant. Autant dire qu'il ricanait sans cesse. Vous ne devinerez jamais tout le temps que le chômage peut laisser à quelqu'un pour avaler la folie qui grimace autour de lui.

Quand il ne trouve plus sa place dans le récit, le personnage le plus gentil peut devenir amer et méchant. Celui qui s'appelait «la mère Michel» n'a gardé que l'amertume du surnom en reprenant son prénom dur. C'est ce qui est arrivé à Mikaël Kérouack, mon amour, ma haine, mon mari, le père de deux petites filles qui s'ennuient de lui.

Comme elles, j'ai vu comment toute l'histoire s'est détraquée. Elles comprendront mieux plus tard. Mais je ne serai probablement plus là pour le voir. Pour l'instant, j'ai du mal à imaginer la fin. Comprenez ce que vous pouvez: j'ai du mal à deviner ce qui va se passer. Beaucoup de mal.

Une histoire commencée pour le plaisir avec des enfants autour d'une table de cuisine, et qui tourne à l'horreur. Les personnages deviennent fous, épouvantés, malades ou malheureux, comme sortis de leur existence. Une histoire détournée par ceux qui jouent aux serpents et aux échelles, les actionnaires de la grande marelle, bien assis dans le ciel. Loin de la vie.

Puisque je risque de la quitter, justement, cette vie, je vous raconte l'histoire du prince qui se fait baiser par des crapauds galeux et qui se transforme lentement en fou qui tue les petites fées.

Au début du conte, Votre Honneur, Michel Kérouack et la princesse Hélène Bourgeois vivaient heureux et avaient de beaux enfants. Ils avaient commencé par deux petites filles, Madeleine et Geneviève, et ils en espéraient d'autres. La vie n'était pas nécessairement facile chaque jour, ni surtout chaque nuit avec les bébés, mais ils connaissaient à peine l'existence de la DPJ et des agents de probation. C'est vous dire comme ils vivaient heureux. Sans vous.

Michel et Hélène travaillaient comme ceux et celles qui travaillent aujourd'hui: de jour, de soir, de nuit, de peur, mais toujours en courant, comme des bêtes, entre les séances de Pensée Positive et les cours de Perfectionnement à l'Inutile. Les deux rentraient à la maison fourbus mais contents de répéter les mantras à la mode, vieilles litanies recyclées dans des cadres laminés:

— Faut pas trop se plaindre, ma reine.

— On est bien chanceux d'avoir une job, mon Job.

Comme quoi on s'habitue à tout. Aussitôt qu'on lui laisse le temps, le bonheur peut faire des racines dans toutes sortes de terre. Pourvu qu'on ait de la poudre d'os plutôt que les os en poudre...

Mais un jour, Michel, qui travaillait à Radio-Canada entre ses apparitions dans les contes merveilleux du dodo, s'est fait congédier. Un exécuteur résigné, chargé de couper dans le vivant par une calculatrice, lui avait largement expliqué la situation en termes entendus. Comme pour leur donner du poids, Mikaël les avait répétés toute la soirée, à la maison: grosse dette collective, les impératifs économiques, l'importance de rester positif, de prendre le temps de se retourner, la nécessité de se positionner par rapport à la mobilité de la main-d'œuvre. Bref, il fallait voir venir.

De fait, Votre Honneur, il s'est mis à tout voir avec beaucoup de détails et de précisions. Les petites sottises, les grosses bêtises et les moyennes niaiseries, tout s'est mis à lui sauter aux yeux, à le serrer au cœur et à lui monter à la gorge, si vous voyez ce que je veux dire. Pendant des mois, plutôt que de vomir ou d'étouffer dans sa rage, il préféra rire pour des riens le jour et pleurer sur tout la nuit.

Au début, il camouflait la peine derrière sa manie de jouer avec les mots. Madeleine et Geneviève trouvaient amusant de suivre «la mère Michel» toute la journée dans les différents personnages qu'il incarnait selon les besognes à effectuer. «Monsieur Poucet» ramassait les traîneries, «la Fée des rations» préparait les repas et «Barbe bleue» courait derrière ses petites filles pour les épouser, ou du moins pour obtenir leurs mains et les dévorer. Il répétait aux amis qu'il ne faisait pas l'*ordinaire* à la maison, mais l'*extraordinaire*. Surtout pour les comptes...

À la longue, il s'est fatigué de chercher en vain du travail ou de se faire offrir des salaires de misère. Entre ses mauvais jeux de mots et des éclats de rire forcés, il est devenu songeur et de plus en plus étranger à tout. Il s'est mis à dire qu'il fallait tout reprendre à zéro, qu'il allait recommencer sans nous, retrouver son vrai nom, Mikaël Kérouack, et rentrer chez lui, vraiment chez lui cette fois. Il me faisait peur.

Mais la vie aurait pu rester vivable sans les m'as-tu-vu de la famille et les blagues faciles qui dévissent le cœur.

«Tu dois sauver pas mal sur l'essence, le beau-frère, avec autant de trous dans ton char...» La vie aurait pu rester supportable sans les mots qui jaunissent le sourire de ceux qui n'ont plus que lui à offrir aux leurs.

Après quelques mois, monsieur le juge, le bon prince Mikaël s'est employé à tuer ses personnages. Plus de Barbe bleue, plus de Petit Poucet, plus personne pour faire le ménage, les courses ou les contes. De fait, il finit même par ne plus reconnaître sa belle Hélène qui rentrait du travail, pâle sous ses cheveux noirs. Il commença à l'appeler sa «garde-malade», ou «votre mère», ou encore «la patronne». Rien qui ressemblait à la princesse qu'il avait aimée naguère. Il renonça aussi à son titre de Prince et à son prénom adouci en même temps qu'à ses fonctions de conteur officiel à l'heure d'aller au lit. Plus qu'un seul personnage disponible. Il disait ne plus avoir en lui que Léo Lecœur.

Quand il retrouvait son sens de l'humour ou le goût de faire des calembours, on aurait dit que l'air autour se faisait rare ou plus difficile à respirer. Surtout pour Geneviève. Un matin que son chat Chatouille réclamait sa pâtée en tournant comme d'habitude autour de Michel, il reçut un coup de pied si violent qu'il resta caché toute la journée au sous-sol, dans la penderie des vieux vêtements. À Geneviève, enragée, qui lui demandait pourquoi il avait fait ça, son père répondit qu'il avait changé le nom de son chat, qu'elle pouvait dorénavant l'appeler le Chat botté. Puis il était resté longtemps sous la douche.

Je ne sais pas si dans les beaux livres de vos enfants, monsieur le juge, on rencontre un prince charmant qui frappe les chats et fait pleurer les petites filles, une histoire où celui qui leur chantait *Aux marches du palais* ne trouve plus le soir que des mots cruels pour coucher les fées. Plusieurs racontent des histoires de monstres semblables. Vous en connaissez qui font votre semaine et votre sel, mais en connaissez-vous une seule où le prince, en larmes, veille toute la nuit les enfants qu'il a blessés le jour?

Dans celle que je vous raconte, il y a aussi une fée qui se met à faire de l'asthme. C'est un phénomène plutôt rare dans les contes merveilleux. Des crises qui éclatent en colères imprévisibles où la petite fille finit par étouffer.

Un jour toutefois, Votre Honneur, la fée Geneviève a découvert le moyen de faire de l'air autour d'elle en frappant ses camarades à coups de pied ou en les mordant. Quand j'ai la force de me rendre l'observer dans la cour de l'école, je ne vois pourtant qu'une enfant frêle qui tient sa grande sœur par la main.

Tout va très vite dans les contes. On dirait que le temps qui passe accélère les histoires comme il fait avec la vie. La vraie vie... Toujours est-il qu'un jour le prince n'a plus assez d'argent pour changer la taille des vêtements de ses princesses adorées à mesure que ses princesses adorées changent de taille. Le lendemain il les frappe avant de les abandonner à la nuit tombante, le long de la rivière, sur une route étroite, passante, hurlante.

Alors, les gens deviennent comme des choses. On dirait que quelqu'un d'autre, un détraqué, continue à conter l'histoire en invitant toutes sortes de personnages qui ne comprennent rien à ce qui se passe vraiment. C'est là, monsieur le juge, que vous êtes arrivé. C'est là que les mots de votre monde ont planté leur double dans le mien: la cour, la plainte et la peine. Le mal, les cellules et la folie... Des mots fichés dans mon corps.

Mikaël Kérouack n'était plus un prince, ni même simplement mon mari. Madeleine et Geneviève n'étaient plus des fées ni nos filles. Le premier était soudainement devenu l'accusé, et les petites filles, des victimes d'abandon. Puis plusieurs inconnus en veston ont surgi dans l'histoire. Mikaël est devenu le vilain des uns et le malade des autres, un article du Code criminel. J'étais témoin de tout, une canne blanche à la main, étourdie.

Cette partie de l'histoire vous est mieux connue qu'à moi, Votre Honneur, puisque tout m'y échappa et que vous en avez classé, rangé, jugé les noms propres et les noms communs en ayant l'air de jouer au bonhomme pendu sur la tablette de votre chaise haute. Il ne me reste rien de ces mois à fréquenter votre cour que des ombres qui ondulent encore dans mon sommeil de codéine. Un procureur qui autorise la plainte que je voudrais étouffer, des psys qui font le résumé du malheur, une couronne qui n'a pas de fleurs...

À la maison, la vie reprendra comme avec un fantôme. On reconnaît le fantôme à sa voix un peu voilée. À ses propos aussi. On dirait qu'il parle de loin. Pour tenter de faire plaisir aux vivants qu'il n'arrive plus à voir, il cherche des mots qui ne sont plus les siens. Des petites filles veulent le faire rire, le faire sourire au moins, mais il fait simplement oui de la tête en regardant par la fenêtre. Et puis on le voit rentrer chaque soir plus étrange encore qu'on l'a embrassé au matin.

Selon la peine que vous lui avez imposée, monsieur le juge, Mikaël a repeint le local d'un groupe d'adolescents du quartier, Le Donjon. Il a pris tout son temps. Des semaines sans trop parler. Les événements qui composent la vie d'un fantôme en punition tiennent à peu de choses: de la peinture à l'huile, des taches mauves dans les lunettes, des vieilles chemises pour faire des guenilles, la gêne de n'avoir plus, justement, que de vieilles chemises. Bref, la peine que lui-même s'impose en silence.

En revenant aussi, Mikaël était plus fragile, chaque jour plus fragile. Par exemple, la semaine où des jeunes ont peint tout un mur de leur local en chevaliers d'une forêt enchantée, il disait se retenir pour ne pas tomber dans le décor. Comme lui, ses mots ne tenaient plus debout. Il s'est mis à raconter aux filles qu'il allait bientôt rentrer dans le mur parce que c'était chez lui, sa vraie patrie.

Les soirs où nous n'avions pas à jouer de la thérapie de Parents en difficulté, Votre Honneur, on aurait dit qu'il regardait à travers nous en monologuant, comme si nous étions vides dans du papier de soie. Sauf Madeleine qu'il a toujours préférée et à qui il parlait vraiment parfois. Lorsqu'elle le suppliait de raconter encore des contes comme avant, il lui disait qu'il ne restait qu'une histoire de famille à finir et qu'elle y arriverait toute seule, plus tard. Toute seule.

Quelquefois, il la prenait sur ses genoux et caressait longtemps ses longs cheveux, son front sous la frange. En silence ou plus souvent en répétant son prénom à voix basse. Je croyais toujours entendre le mien. J'aurais voulu entendre le mien. Mais mon prénom semblait lui brûler les lèvres. En dehors du travail, je n'entendais plus personne m'appeler Hélène. Sauf Geneviève qui le fait encore d'ailleurs en me regardant droit dans les yeux, bien cachée derrière les siens. Personne pour prononcer mon prénom avec du velours dans la voix, cette intonation tendre qui nous remonte le cœur comme une vieille horloge et peut tout guérir subitement.

Mais l'amour qui peut tout guérir, quand on l'émiette, se retrouve en petites boules dans nos têtes ou dans nos os. Je sais que c'est ainsi. Je le vois chaque jour. Je le sens sous ma peau. Si Mikaël avait voulu me prendre comme avant, me caresser avec ses mains douces, ses «mains d'ours» comme il disait, il aurait vu que notre amour était en morceaux dans mes seins. Mais il ne m'approchait plus, ne me touchait plus. Mes cheveux, mon visage, tout mon corps semblait lui brûler les mains.

Quand je m'étendais près de lui le soir et qu'il fixait l'heure du radio-réveil sans bouger lorsque je l'embrassais, je tremblais de rage. Les fantômes ne bandent pas. On peut prendre leur main froide et la poser sur une vulve invitante, ils ne bougent pas d'un poil. On peut les soûler de bons vins ou de gros gin, ils ne couleront plus jamais entre nos jambes, ne rouleront plus à vous rendre folle la langue sur l'aréole des seins, sans fin de l'un à l'autre pour ne pas faire de jaloux... Le plaisir est un étrange manteau réversible. Quand le côté velours est usé, le revers est vide.

Je m'endormais en fixant le dos de celui qui n'ouvrait plus ses bras ni mes jambes. Ou je ne m'endormais pas. Le corps qui a connu le plaisir d'en recevoir parfaitement un autre reste longtemps habité par sa chaleur. Avant d'avoir trop mal, j'ai passé des nuits à ramener en rêve les gestes amoureux et tendres de cet homme tassé sur le mur. Sa folie douce à me faire l'amour dans chaque pièce de notre nouvelle maison. Les fesses usées sur le tapis neuf du salon ou les genoux rapés, le ventre aplati sur la vieille table à panneaux, une table à desservir... Rire comme des bossus, jouir de chaque battement. Des points G jusque dans les oreilles.

Pour ne pas faire de plis dans votre robe, monsieur le juge, je passerai rapidement sur les trouvailles érotiques et les variantes amoureuses que nous inventions avant que Michel ne devienne le spectre qui a fait quelques apparitions devant vous. Un soir, il finit par me dire qu'il avait perdu ces moyens-là en même temps que les autres.

À peine un an plus tôt, pourtant, le même homme me faisait encore l'amour si doucement, si tendrement que je n'avais qu'à fermer les yeux pour partir. L'impression d'être bercée par des vagues, comme à Sainte-Luce, en juillet, sur un pneumatique arrimé au bonheur. Je ne peux pas oublier. Quand nous sommes face à face, il passe ses bras sous mes omoplates et les mains larges fermées sur mes épaules tirent tout mon corps vers son ventre, en cadence lente. Je finis par sentir des millions de petites étoiles qui scintillent partout dans mes veines.

Lorsqu'il jouit, il prend souvent ma tête dans ses mains pour la ramener légèrement vers la sienne pendant que sa bouche va lentement de mon front aux paupières, à mes lèvres, mes joues. Je l'entends murmurer qu'il m'aime toujours. Il m'appelle encore sa fée, sa reine, sa belle au bois dormant. Il ne sort pas tout de suite de mon ventre mais continue à s'accorder aux dernières contractions pour que je le garde le plus serré possible dans mon vagin.

Puis il se lève, tire quelques kleenex de la boîte aux motifs de papillons, s'assoit tout près de moi et se met à les glisser partout sur mon corps, à l'intérieur des cuisses, sur les poils du pubis, sous les seins, entre les serpents fous tortillés autour des hanches. Il effleure interminablement chaque mamelon et se rend pareillement au cou dans lequel il plonge pour faire la ventouse qui achève le frisson. Pendant que je me débats en riant, il me soulève et me dit à quel point un descendant de chevalier aime se retrouver dans la reine, ou encore que je suis la belle au bois dormant dont il se chauffe. Je m'endors engourdie de plaisir.

Avant de disparaître définitivement pour courir après les siens, comme vous voyez, Votre Honneur, mon fantôme m'a laissé des images aussi douces que sa belle folie d'amoureux.

Mais ce soir, je n'ai plus que l'erre d'aller de la mémoire pour rêver, une provision de beaux souvenirs qui s'épuise dans les vapeurs des calmants. La main sur le sein qu'on va m'enlever, il ne reste que le froid des frissons de cet amour. Je ne sais pas ce qui me fait vomir le plus des traitements de chimio ou de la rage, le bonheur démembré. Il ne coule plus dans mes veines que le feu d'un soleil qui brûle tout, sauf la peine.

C'est au fond tout ce que je voulais vous dire avant qu'il ne me reste plus de forces. Une façon d'écrire la vérité, toute la vérité pour que, plus tard, Madeleine et Geneviève comprennent vraiment ce qui s'est passé. Pour employer vos mots aussi, une manière de fermer le dossier et de réhabiliter un contrevenant. Un homme perdu que j'aime toujours et que je ne reverrai sans doute jamais. Un prénom doux que la vie a cassé.

Une fois disparus les souvenirs troubles de cet amour, ma dernière joie sera de regarder la nuit dormir nos filles. J'aimerais que cette image imprime à la fin le drap blanc de l'éternité, l'unité propre du grand vide. En attendant, c'est un autre drap qui me recouvrira demain. Un drap vert avec une déchirure dedans. Une fente grande ouverte par laquelle ils vont faire un trou dans mon corps, sous le sein gauche, jusqu'à l'os. Pour bien enlever toutes les métastases. Gratter le mal. À l'os.

Le poids des pierres

La patrie, c'est le territoire qu'un enfant
peut parcourir à pied dans sa journée.

PIERRE LAURENT

Un jour, le marcheur s'est penché sur un profil filé dans le caillou encore humide de la marée. C'en était fait dès lors du trou qu'il avait pu creuser dans sa mémoire. Depuis ce jour, quand il ne lève pas au ciel des yeux fatigués de scruter la grève, il va, penché sur ses pas, fouillant sans fin un rivage toujours vierge à son retour, pour retrouver des visages gravés sur les galets depuis mille ans. Comme il a fait pour ses propres enfants, la vie les aura rêvés, bercés, puis abandonnés au bord de l'eau.

Quand ce n'est pas le vent, ce sont les pierres qui traînent jusqu'à lui les signes qu'il a voulu effacer. Tout roule jusqu'à lui le conte désastreux dont il cherche à alléger, de jour, le poids des images accablantes posées par la nuit dans sa tête. Il frissonne dans la touffeur de juillet. Un orage monte de la mer entre Molène et Ouessant. La fièvre revient toujours de l'enfance. Sa patrie. Le pays d'origine de sa famille, où il la fuit justement, ne cesse de souffler sur les braises.

Une chanson de Claude Léveillée remonte à sa mémoire: «Il n'y a pas de bout du monde...» Les paroles de Gilles Vigneault lui reviennent en même temps que la mélodie: «... mais cependant nous partirons». L'air, les mots et les visages qui surgissent malgré lui sous ses yeux n'appartiennent pas à une autre vie qu'à la sienne. Il arpente depuis des mois la côte en scrutant la mer par tous les temps, la grève ou la falaise, en quête de ces mêmes figures qui pourtant l'épouvantent.

Une fois les traits familiers entrevus dans l'immuable, une fois les pierres aux profils connus repris par la mer, le promeneur n'a plus d'yeux que pour les revoir.

Il troque sa vie contre le mystère des présences dans les filons des falaises ou sur les dunes, la beauté des signes que le bonheur trace partout une fois qu'on l'a déchiré.

Chaque veine du granit lui rappelle la passion du temps et sa patience à produire la vie de toutes les façons. Une fois l'ardeur aperçue sous la tourmaline, le souvenir d'une jeune femme dessinée sur la roche tendre, une fois son corps intact enfin volé au vide, une fois l'éclat de ses cheveux noirs reconnu dans les galets à marée haute, le promeneur n'a plus assez de sa vie pour ramasser toutes les formes du bonheur perdu. Il restera des heures à genoux sur la plage du Trez Hir ou des Blancs Sablons pour recueillir la vérité des apparences. Il passera des jours à saisir les petites apparitions: le galbe d'une silhouette obsédante, des dessins d'enfants oubliés dans le sable, un cœur inachevé.

Le soir venu, il complète à l'encre ce que le ressac et le sel n'ont pas eu le temps de tracer. Perdu en pays de connaissance, il verra jaillir au milieu des embruns les désirs qu'il a lancés à la mer. S'il trouve des lettres à moitié effacées dans le sable, sous des pas, des pattes ou des palmes, elles forment toujours l'anagramme d'un prénom magnétique, l'amour laissé derrière lui, de l'autre côté de l'océan qu'il fixe maintenant.

AMELIEDEN

Le prénom survivant d'une jeune femme dont la lune tire les grands traits sur les plus belles pierres roulées par la mer jusqu'à ses pieds. Une fois touchée, dans le quartz, la veine qui l'a mené aux pierres levées de ses histoires de fées, le marcheur ne dort plus sans ses fantômes. Les beaux visages qu'il a noyés le hantent, celui-là surtout qui apparaît quand l'homme ne peut plus distinguer le chien du loup, ni la mère de sa fille. De chaque côté du monde, la terre finit comme le jour, en nous abandonnant au frémissement des ombres.

Les pêcheurs du village où il erre le plus souvent disent de lui qu'il pêche des pierres. Mais ce marcheur soucieux s'alourdit plutôt le cœur, se leste scrupuleusement afin de ne pas se lever nuage un de ces matins, ou bois d'épave, et dériver vers sa vieille peine. En arrivant au Conquet, il s'est mis à écouter chaque jour la mer pour finir par comprendre que la vague ne fait aucun bruit, que ce sont les pierres les unes sur les autres qui lui donnent son chant, sa prière, ses litanies des jours ordinaires. Alors, du fond des ruines de l'abbaye de Saint-Mathieu, le cueilleur de galets entend que les rochers tranchants (il pense aux dents des requins de marée basse qui dévorent les pieds de deux petites filles ricaneuses à Sainte-Flavie) hurlent dans les tempêtes et de toute urgence réclament leur dû de caresses avant de devenir du sable.

Avec l'habitude de le voir rôder, les gens le saluent comme quelqu'un de la famille dont on n'a pas le temps d'attendre de nouvelles: «M. Kérouack...» Puis, un jour de juillet, la pâtissière de la rue Jourden le voit arriver de Brest avec des cabas pleins de livres au bout des bras. Il rentre dans son petit logis avec le projet de recoller ses morceaux, de mettre de l'ordre dans tout ce qu'il a arraché au décor et, littéralement, pour retracer son territoire, pour retrouver la parole.

Des volumes, des brochures, des guides remplis de noms de pierres ou de noms de plantes, des dictionnaires, l'or des fous pour reconnaître les lieux et en saluer correctement les êtres. Il se dit aussi que, pour donner des nouvelles aux ombres, il faut des mots clairs et nets. Plus tard, lorsqu'il aura trouvé les plus lumineux, les plus limpides et les plus purs, il écrira des lettres d'amour à cette femme qui habite désormais tout le paysage et lui revient en rêve la nuit. Il invitera son amour ressuscité à venir le rejoindre ici, aux extrêmes limites du passé, à la lisière du présent où l'espérance tient toujours.

Un soir du mois d'août, alors qu'il mémorise la silène et le jonc marin des rochers de Sainte-Barbe, il se jure de faire, l'été suivant, un jardin de fleurs sauvages sur la falaise de la Pointe du Petit Minou. Le nom le fait sourire comme s'il venait d'en saisir l'évocation plaisante. Aucune pensée ne l'a réjoui ainsi depuis longtemps. L'obsession a souvent pris plusieurs visages, mais son désir s'arrête toujours sur le même. Quand la femme rescapée reviendra, il ne lui offrira pas un simple bouquet ni même une gerbe, mais une falaise de fleurs. Si autrefois on lui a arraché tous ses biens et son honneur, s'il a perdu alors jusqu'au goût du bonheur, il présentera demain un cadeau royal à son adorée. Des étrennes perpétuelles que même les riches qui l'ont humilié ne sauraient offrir.

Puis ils suivront ensemble, comme il l'a fait quinze jours plus tôt, la procession du Pardon de Locronan. Les gens du pays, dont lui revenaient les prières, lui ont rappelé que chaque âme devait parcourir cette longue marche tracée par les druides et suivie par un saint ermite il y a longtemps. Quiconque ne suivait pas le cortège de son vivant aurait à en couvrir les douze kilomètres après sa mort, avançant chaque année de la longueur de son cercueil. Qui s'acquittait de son devoir pouvait laver ses fautes et vivre en paix, certain de parvenir à ses intentions, d'arriver à destination.

Dans la splendeur du crépuscule, l'homme se souvient que c'est à travers les champs de blé et l'or des genêts qu'il a renoué le fil de son histoire, reconnu surtout la légèreté du conte interrompu. Les forêts de hêtres où dormaient les enchanteurs ont disparu, mais le trèfle couché et les compagnons rouges des chemins creux accrochent l'avenir sur la fin de chaque jour.

Même le visage livide qu'il a vidé de sa vie retrouve en lui la chaleur du sang. Les mégalithes confirment en silence que tous les rêves restent possibles et celui de Kerloas sur lequel il s'est frotté assure vraiment le miracle: il reconnaîtra le même amour et sa descendance.

Le soleil alangui dans l'étonnante transparence de l'air allume lentement les grands phares des terres au loin, de l'île de Sein aux Pierres Noires. Les étoiles qui ont le vertige montent la garde sur les récifs. Celui qui les contemple sans bouger maintenant ne retient plus ses larmes. Il songe à son ancien métier de cadreur, songe à ceux qui souillent l'azur et bouchent l'horizon avec leurs mensonges, ceux qui brisent les plus belles histoires pour en vendre les fées au plus offrant. Mais ce soir, il ne tremble plus en y pensant, n'a plus de fièvre. La nuit n'avale jamais toute la lumière du jour. Cet homme ne laissera plus le désespoir poser des pierres sur son cœur pour le tenir en silence.

Il prépare désormais l'immense jardin de l'été prochain en cherchant le nom de chaque fleur avec celui des rochers qu'il doit apprivoiser, ses frères et ses sœurs. Il fouille les mots qui mettent à l'abri de la folie, le secret des choses où dorment de vieilles formules magiques. Sa main est assez déliée déjà pour en saisir les lettres qu'il transcrira demain afin de tirer son amour de l'oubli et qu'elle vienne enfin le retrouver de l'autre côté du monde.

La cueilleuse

Dans l'ombre complice, je confection-
nais mon cœur.

JEAN GIONO

Depuis des années, quand je ferme les yeux, une caméra volante parcourt dans ma tête des corridors étanches, des couloirs en courbes, étroits vaisseaux rouges et palpitants. Je vois le monde alors à partir d'un diaphragme ou de la tête d'un oiseau comme si j'étais montée dessus, comme si j'étais un œil unique sur sa calotte. Ce rêve étrange m'aspire chaque nuit. L'impression de poursuivre sans fin devant moi ce qui se trouve derrière. Je me réveille chaque fois plus déçue, plus enragée, perdue. Le montreur de forêt sombre de mon enfance a finalement manqué de petites pierres pour retrouver son propre chemin et a fini par m'y oublier? Il en cherche encore aujourd'hui, c'est certain. Pendant ce temps-là, si je ne saisis pas très bien le rapport entre ces souvenirs de Petit Poucet et mes expériences de fin de semaine, je sais que tout tient là.

Il y a quinze jours, mon amie Johanne a eu peur et m'a traitée de folle. Elle répète que je déraille et ne veut plus m'accompagner maintenant dans mes sorties. J'ai beau lui expliquer, sans rire, que ce sont des expéditions scientifiques, des recherches ethnographiques sur le terrain, la grosse Johanne ne veut plus rien entendre. Tant pis, tant mieux. Elle trouve que j'exagère et m'a rabâché toute la journée à la bibliothèque que je m'attirais des problèmes difficiles à prévoir, que mon jeu était un piège à malades.

— Tôt ou tard, tu vas allumer un feu que tu pourras plus éteindre, ma fille, tu vas ferrer un poisson qui va te tirer au fond de l'eau.

— L'eau... Le feu... Tu vois bien que je ne risque rien, Johanne la Banane.

— Arrête de m'appeler comme ça, Geneviève! J'ai pas ton âge. Je te dis qu'un jour tu vas rencontrer un déséquilibré qui va te suivre, chercher à savoir où tu habites et surtout où tu veux en venir avec tes folies. C'est peut-être déjà fait.

Toute la journée à la bibliothèque, en replaçant les retours sur les rayons ou en faisant des fiches, elle m'a servi ces mises en garde sur tous les tons, mais surtout les foncés. Le directeur de la bibliothèque lui a demandé de s'occuper de moi pour le travail d'été et elle prend ça plutôt à cœur. Surtout depuis qu'elle a appris que je vis en appartement avec des camarades aussi mêlés que moi, comme elle dit. Elle parle comme une vieille, la Banane, mais je sens qu'elle m'aime et qu'elle me scie pour mon bien, comme disait maman. Pour mon bien... Mais justement, si je ne sais pas où me conduisent ces folies, pour parler à sa manière, je suis certaine que c'est important de les faire. Pour mon bien. Essayer n'importe quoi pour remuer, ne pas attendre que la vie nous épingle. Alors, je continue. On verra bien.

Je peux comprendre que mes sorties de fin de semaine dérangent un peu les habitudes de la vieille Johanne qui a toujours rangé les idées dans sa tête comme les livres sur les tablettes. Système One Way plutôt que Dewey... Elle n'avait qu'à ne pas me prendre sous son aile de poule grise et de préposée aux prêts. C'est vrai qu'elle est aussi responsable des objets perdus... Je l'aime bien pourtant, ma vieille Banane. J'espère qu'on va rester amies malgré la différence d'âge. Au moins, je n'aurai pas loin à faire pour la revoir lorsque les cours reprendront.

Il y a déjà assez de visages dont je m'ennuie à plein temps. On ne peut pas toujours en ajouter sur le voyage comme disait l'oncle Wilfrid quand nous allions en vacances à Sainte-Flavie. Il y a longtemps. C'est presque dans une autre vie. J'aimerais tant que tout ça revienne: papa, maman, les vacances d'été à la mer, Madeleine qui imite la cigale, les requins de pierre qui nous mangent les pieds à marée basse, l'érable qui chaque année agrandit les cœurs que mes cousins lui avaient confiés. C'est flou, mais tout n'est pas mort làdedans: le salin, les dents de granit, les initiales dans l'écorce, le couteau qui les a gravées. Peu de ces gens peuvent encore bouger dans mes albums de photos, mais je vais les retrouver. Il y a encore de l'ombre sous le saule et de la mémoire dans l'aubier. Nous allons y retourner. Ce n'est pas vrai que nous sortons, ma sœur et moi, d'un conseil de famille et de son régime édifiant. La preuve, tiens! c'est Johanne: elle ne fait pas partie de la famille, et pourtant elle mange sans cesse, ne baise jamais et passe ses journées à me donner des conseils comme tante Denise, ma mère suppléante. Elle fait même du «surtemps curatif». Mais je peux ramasser mes morceaux toute seule maintenant, comme une grande fille.

Pour y arriver, il faut se faire du fabuleux, beaucoup de fabuleux, en commençant par avoir peur. Très, très important, la peur, pour les enfants. La formule est connue. Le professeur de morale, dans le bordel de sa classe, nous a hurlé là-dessus des pages d'un savant spécialisé dans le glaçage d'enfant. Depuis, je me suis psychanalysé la sucette sur un méchant temps et je cherche un ogre, une bête à sept têtes, un garou à ratiboiser. C'est ce que j'ai expliqué à ma vieille Banane.

Bien sûr, une fois la bête débusquée, je peux me retrouver en manque de marraine, apprendre que la fée a un cancer du verrat et que même ses objets magiques, bagues, baguette, cheville et bobinette, sont bourrés de métastases. Une telle épreuve survient toujours d'ailleurs dans les plus merveilleuses histoires. Quand je le rappelle à ma Johanne, elle me prend par les épaules, me dit que je devrais me taire quand je fais de la fièvre...

Elle voudrait surtout que je cesse de m'amuser avec les gens rencontrés au hasard des fins de semaine.

Mais je ne m'amuse pas comme on pourrait le croire. Je ne fais pas ces propositions pour distraire les gens ou faire rire ceux à qui on les raconte; même pas pour troubler ma vieille Banane de bibliothèque. De fait, la première fois que c'est arrivé j'ai eu l'impression que quelqu'un d'autre parlait à ma place. Ou plutôt que quelque chose me poussait à me rapprocher de cet inconnu. Arrivée à deux mètres de lui, les deux pieds par terre de chaque côté de mon vélo, j'ai commencé une phrase, deux mots dont je ne devinais absolument pas l'intention et encore moins la fin.

— Excuse-moi... me prêterais-tu ton baladeur pour la semaine?

— Quoi?

— Ton baladeur. Ton walkman. Je te demande si tu veux me prêter ton walkman pour une semaine. Je te le rapporterai ici, devant l'écluse, dimanche prochain.

Le gars se tenait à côté de son cent dix vitesses de montagne, en bordure de la piste cyclable du canal Chambly et regardait monter l'eau de la septième écluse. Depuis que Johanne m'accompagne à bicyclette, je m'arrête souvent pour la laisser souffler et rêver aux amarres qui en savent autant sur le mouvement que les bateaux qu'ils retiennent quelques minutes. J'aime les choses immobiles, les vannes plus que l'eau qui s'y engouffre. Mais pas les gens immobilisés. Je me suis peut-être dirigée vers cet inconnu pour le faire bouger, pour voir s'il était pétrifié dans son justaucorps en lycra noir.

Surpris ou incrédule, il a fini par me demander si nous nous connaissions, si nous nous étions déjà vus quelque part alors qu'il aurait oublié mon nom et mon visage. Quand je lui ai confirmé que non, que je ne me souvenais pas de l'avoir croisé jamais et que c'était justement là l'intérêt de la chose, il a écarquillé les yeux.

Situation avantageuse, car ils semblaient plutôt habituellement à moitié fermés sur le globe, ce qui fait assez ruminant merci, comme disait mon père dans ses bons jours. On devrait toujours être surpris. Tête légèrement inclinée comme s'il y avait quelque chose d'écrit sur les feuilles de plantain, il se tourna lentement vers Johanne en espérant sans doute que ce soit mon éducatrice ou ma travailleuse sociale. Mais il ne put que constater, au-dessus de ses lunettes, que mon amie avait les yeux encore plus grands que les siens, plus beaux aussi, gris transparent.

— Faites pas attention à elle. C'est une blague, une farce plate. Elle dit n'importe quoi pour essayer de me faire rire.

Johanne me tirait par le bras en souhaitant que l'on s'éloigne rapidement du gars, mais je me suis détachée d'elle en laissant tomber ma bécane pour me rapprocher davantage de lui. Je crois qu'il a eu peur. Deux secondes. Le temps de se souvenir qu'il était costaud, monté solide sur cuisses fortes dans le cuissard luisant, et fini gros poignets. Une bonne tête malgré tout. Je le lui ai dit. Des babines dessinées épaisses, avec un sourire à ce moment-là un peu fêlé parce qu'il était certain que je l'étais complètement. Debout devant, presque nez à nez, je lui ai expliqué que je faisais passer des tests de confiance aux gens. Une sorte d'étude psycho-sociologique maison... De fait, je m'entendais lui expliquer une expérience que j'inventais au fur et à mesure.

— Écoute, prends pas l'épouvante, on veut savoir si c'est encore possible de trouver quelqu'un qui a confiance. Tu comprends? Pas quelqu'un qui a confiance en moi ou en Dieu, en son père ou en son vélo, mais quelqu'un qui a confiance, point. Kapitche? Quelqu'un qui fait du crédit sur la foi de rien, qui a confiance *parce que!*

Johanne avait relevé ma bicyclette. Je l'entendais répéter mon prénom, s'excuser pour l'effronterie. Mais le gars avait retrouvé sa contenance. Me regardant en plein visage, il s'est dit très intéressé à passer le test, à participer à l'expérience. Pendant que je parlais, il avait même eu le temps d'accrocher sur sa face de poupard un sourire à l'avenant. Il m'a demandé ensuite, plus que poli, onctueux, quelques renseignements sur ma proposition. Il consentait à me laisser son baladeur à condition de connaître mon nom et mon adresse. Il s'inquiétait aussi de savoir exactement comment il allait récupérer son walkman.

Je lui ai fait comprendre rapidement, cela tient de l'évidence bonhomme, que les réponses aux deux premières questions tueraient le type de confiance qui faisait justement le sujet et le charme de l'expérience. Penses-y, bouffi! Déjà qu'il connaissait mon prénom. Quant à la livraison, il serait facile de déposer l'objet sur le banc voisin à la même heure le samedi suivant ou, s'il pleuvait, une semaine plus tard, sur ceux de Terre-Neuve. Dans un cas comme dans l'autre, à l'abri dans mon sac à la taille que je lui laisserais pour qu'il le renifle si cela l'excitait.

C'était peut-être un peu trop vite pour le champignon de contreplaqué qui lui renflait le coco: il se mit à me regarder avec l'air un peu épaillé. Je l'ai rassuré sur ma présence dans les environs pour surveiller le sac jusqu'à son arrivée, même heure même poste, samedi prochain. Je lui ai demandé aussi de ne pas me chercher. Il n'aurait qu'à reprendre son bien et continuer sa balade en bémol. Merci. Bonne route. Fin du test.

Il a fait un effort pour me regarder assez longtemps dans les yeux, en me disant de sa meilleure voix qu'il avait confiance. Il était évident que la folie ne lui allait guère mieux que le casque de polystyrène qui le gardait de tout en cas de chute, mais le couvrait de ridicule en temps normal. Je le lui ai dit juste pour lui ramollir le mollet. Ses derniers mots, à l'étouffée, tombèrent dans

la cuisine habituelle: au moins un numéro de téléphone... le lieu de travail... le nom de mon amie...

J'ai pris son walkman et enfourché brusquement
ma bicyclette que Johanne tenait sans dire un mot, inter-
dite. J'ai eu le temps néanmoins de voir la main large,
qui tendait le baladeur en tremblant un peu, comme
suspendue en l'air une seconde de trop avant de retom-
ber sur le guidon. L'impression que le gars, au bout du
bras, avait peur pour quelque chose de plus que son lecteur de cassettes Sony à l'épreuve du sable et de l'eau.
Johanne glissa entre ses dents serrées qu'elle voulait me
pousser dans le canal avant de mourir elle-même, de
honte... Pendant tout le trajet de retour, j'ai appris de sa
bouche et avec toutes sortes de détails minutieux que
j'étais détraquée, anormale, complètement maboule et
qu'elle ne viendrait plus jamais en randonnée avec moi.
Je lui ai dit que j'approuvais tous les termes: folle, détraquée, malade, enragée, mais que je n'étais pas sa boule,
que c'était plutôt elle qui était *ma boule*, ma belle grosse
boule de Johanne la Banane. Elle a pouffé de rire.

La semaine suivante, elle était avec moi sur la bande
du canal. Cachées derrière un gros pin mugo près de la
septième écluse, nous surveillions mon petit sac mauve
où le Sony jaune attendait son papa sans doute bleu
d'inquiétude. Je murmurais à Johanne que le gars
n'avait peut-être pas quitté les lieux depuis le samedi
précédent, lorsqu'il a surgi derrière nous. Johanne a
failli s'étrangler au bout de son cri et le cœur m'a sauté
à la gorge. Nous n'avions pas entendu se rapprocher le
Sioux qui avait attaché sa monture derrière le talus. J'ai
eu l'impression que sa voix avait plongé dans mon dos,
exactement entre les omoplates.

— Le walkman, je m'en fous. Je voudrais savoir
ton nom. Moi, c'est Ken. T'aurais pu au moins me dire
merci la semaine passée, ou bonjour, peut-être, avant
de te sauver. J'aimerais faire un bout de chemin avec

toi. Continuez-vous jusqu'au bassin? jusqu'au fort? On pourrait jaser.

Il a parlé comme s'il avait mémorisé ses phrases et j'ai eu juste le temps de ravaler mon cœur avant de lui dire qu'il avait échoué le test. Merci, bonjour! De toute évidence, il n'était pas revenu en toute confiance, simplement pour reprendre son walkman et disparaître comme convenu sans chercher à me suivre. Il était revenu parce que j'avais les cheveux roux, les seins fermes et qu'il était certain que j'habitais avec eux. Rien de gratuit dans sa confiance. Pas de quoi être fier...

Avant que ses yeux aient retrouvé leur ouverture normale, j'ai repris la piste avec ma vieille Banane qui n'en revenait pas de ce que j'avais pu dire au pauvre gars. Je lui revois encore la binette au moment de tourner le dos en l'abandonnant derrière le pin: il donnait l'impression d'avoir dix ans de plus que la semaine précédente.

Le lundi suivant, à la pause de dix heures, tous les employés de la bibliothèque croyaient que j'étais le loup-garou des week-ends à vélo. Les moins près de moi, les moins familiers au travail, se demandaient comment une jeune fille si blanche de peau en semaine pouvait se transformer ainsi le samedi venu. Pour leur donner l'heure juste, Johanne ajouta qu'ils connaissaient mal mon côté sauvage. Quand j'ai cherché à savoir quel sens elle donnait au mot *sauvage*, elle a dit, presque tout bas, que j'étais une belette: belle et cruelle, mais que je sentais bon cependant.

Je suis restée surprise, presque troublée. Les autres ont cessé de rire et quelqu'un a dit qu'il fallait retourner au boulot. J'ai voulu chasser le malaise en précisant que je ne mordais jamais pendant les heures de travail, mais qu'il fallait se méfier des pauses. Johanne avait la figure un peu rose et regardait le bout de ses souliers de toile. De l'autre côté du bureau de prêts, j'ai passé mes bras autour de ses épaules et lui ai donné une grosse bise sur le front en l'appelant «maman grosse buse». Elle m'a dit qu'elle avait peur pour moi.

Je ne lui ai surtout pas raconté à ce moment-là que j'avais fait beaucoup mieux, ou pire de son point de vue, la veille, à la «Fraise rit» de chez Hébert. J'aurais pu rentrer à l'appartement dimanche midi avec la chevelure plutôt ébouriffée et des griffes dans la peau des joues. La matinée précédente s'annonçait pourtant claire et paisible entre les framboisiers.

À neuf heures et demie cependant, il y avait déjà une trentaine de cueilleurs et de cueilleuses avec leur «petit videux» accroché au cou. Dans ce qu'il restait de silence à travers leurs jacasseries, j'ai cru entendre les voix de papa et de maman quand ils disaient que c'était leur messe du dimanche. Ils trouvaient qu'un champ de fraises ou de framboises faisait la plus grande, la plus belle cathédrale du monde. Il fallait que je vérifie si on pouvait y consacrer les espèces.

En contemplant les alentours, il m'est apparu que la journée invitait précisément à la communion des saints. Surtout ceux de l'Église souffrante qui cherchaient ce matin-là à remplir panse et vaisseaux, genoux rougis par terre. L'occasion à vrai dire de vérifier sur le champ la foi des gens. Mon voisin de rangée, celui qui me faisait dos et dont la voix chaude fredonnait sans cesse depuis mon arrivée, s'apprêtait à repartir avec deux gros paniers combles au bout des bras.

— Monsieur, si vous me laissez vos framboises, je vous ferai les meilleures confitures du monde pour la semaine prochaine. Donnez-moi vos deux paniers, vous allez voir, je vous ramène ça sans faute, transformé en prières ou en péchés, à votre goût, scellé dans des beaux pots Mason. Je veux savoir si vous avez la foi, l'espérance et la charité.

Il est probable que sa légitime, confondue dans les tiges épineuses, a deviné que je n'avais jamais fait de confitures de ma vie. Peut-être aussi a-t-elle cru qu'elle risquait de perdre son gros en même temps que les petits fruits qu'il portait. Entre le cri qui paralyse et le râle à codicille, sa voix m'arriva aux oreilles avec des ronces dans les voyelles de chaque mot. C'est sans doute pour cette raison que la bête ne les mâchait pas.

Tout chez elle était démesuré: la bouche qui occupait le premier plan, les yeux, les fleurs sur sa blouse, le gras pendouillant des bras, le fiel et la peur sur le cœur. De toute évidence, elle manquait un peu de confiance et j'ai dû lui dire qu'elle échouait le test. Elle ne l'entendait pas ainsi et conseilla vigoureusement à Mauriiiiice de regagner la sortie au plus vite et sa berçante dominicale. Maurice s'est d'abord contenté de me regarder en souriant d'un vrai sourire. Puis il a essayé de faire une brèche dans Bertha.

— Berthe... Berthe... C'est pour rire. Voyons Berthe... T'es rendue susceptible puis soupe au lait. On a été jeunes...

J'ai dû insister un peu trop ou dire quelque grossièreté à Berthe, car j'ai vu le cercle des fermières recueillies se refermer rapidement sur moi, regards dédaigneux sur mon plat presque vide. Les vieux monsieurs en retrait, bons papas sans doute de filles de mon âge et amateurs de fruits frais en saison, faisaient les marris sans conviction. Quand j'ai touché l'épaule de sa moitié, geste caressant pour le supplier de me faire confiance, il allait passer à l'offertoire... Mais Bobonne a éclaté. Après avoir sonné les cloches à son faux bourdon, elle a voulu s'en prendre à moi. Les autres cueilleurs ont empêché que cela ne dégénère en curée et les employés de la ferme m'ont priée de «crisser le camp». J'ai pensé à papa, à maman et à la plus belle cathédrale du monde.

Avec le travail, les remontrances de Johanne et les plaisanteries des camarades, les premiers jours de la semaine m'ont ramenée sur terre. C'est la Geneviève rangée, plutôt morose, qui reprend alors le dessus, celle qui ressemble à son travail d'été. Il s'agit d'obéir au système qui permet de classer les choses, de trouver pour chaque histoire, chaque souvenir ou chaque émotion une case, une tablette, un rayon où la poussière pourra s'accumuler. Après les douces remontrances de Johanne parmi les moqueries des autres, les jours suivants ont entrepris de niveler la folie des fins de semaine. Jusqu'à vendredi matin.

En la vidant de ses annonces et de ses rabais sur le bonheur, j'ai trouvé hier matin un mot dans ma boîte aux lettres. Une enveloppe adressée à mon nom, un gros cœur coulant à la place du timbre, une lettre assez brève: rendez-vous sur la bande du canal. Un rendez-vous pour samedi, de la part du cycliste testé il y a deux semaines, une convocation du baladeur comme il signe.

C'est fin. Un rendez-vous de la partie récepteur du Sony jaune que j'ai gardé toute une semaine chez moi; le mec Ken a dû se fatiguer de tenir le rôle des oreilles dans le schéma de la communication. Il a fini par découvrir mon nom, mon adresse et veut me parler aujourd'hui, même heure, même banc à Chambly, beau temps mauvais temps. Le message est clair: on ne fait pas ça aux gens sans au moins se présenter ou dire au revoir en quittant. Mon visage et ma voix apparemment sont accrochés dans son filage. Il a réussi de peine et de misère à me retracer. Il ne lâchera pas.

Hier, pendant toute la journée, je n'ai rien dit à Johanne, rien répondu quand elle m'a demandé ce que je faisais aujourd'hui. Fournissant elle-même les réponses à ses questions, elle a dit que de toute manière on annonçait des averses et des orages. Si j'avais échappé un seul mot au sujet de cette lettre, je l'entendrais encore hurler, certaine que dès la première allumette frottée j'avais allumé un feu qui allait me carboniser, me raser jusqu'aux fondations. Mais aujourd'hui je ne risque rien: il pleut à boire debout, à se noyer sur un banc si on s'y ouvre le moindrement. On verra bien si j'en pleure ou si Ken rit. C'est facile.

La nuit dernière, j'ai voulu chasser de ma tête une idée surgie du délire d'avant le sommeil, mais c'est elle, dans le parfait travail des rêves, qui a fini par en chasser toutes les autres. Pourquoi pas le même jeu à l'envers? La confiance totale. Je deviens le walkman ou le panier de framboises. Je me prête au jeu. Littéralement. Avec le premier venu dont je ne sais que le prénom et qui m'attend probablement déjà sur un banc à la pluie battante. De toute façon, ce n'est peut-être qu'une blague d'un tata au courant de l'histoire. Sans importance au fond.

La confiance totale ne craint ni la cuisse en lycra ni le soupirail à cravate. Quand on a peur de fermer les yeux, les vieilles questions sans réponses en écho dans la nuit tournent à l'obsession. Des questions sans bon sens qui tiennent plus aux revenants qu'à la hantise: deux visages adorés, pétrifiés au bout des corridors du cœur palpitant. Pourquoi ne sourient-ils plus? Pourquoi nous laissent-ils seules, ma sœur et moi, sur cet oiseau de malheur? S'ils se sauvent devant, c'est peut-être qu'ils ont peur du bec arqué du rapace, ou qu'ils ne nous ont pas vues dessus. Ou bien qu'ils n'ont plus confiance.

Je ne commettrai pas la même erreur. Le téléphone sonne aux dix minutes depuis neuf heures ce matin. Johanne s'inquiète, mais ce n'est pas à cet appel que je vais répondre aujourd'hui. Trop facile d'avoir confiance en elle. J'ai décidé de poursuivre le jeu à fond et avec un inconnu. Un musclé poilu, un vieux coulant à bavette ou un obsédé textuel, n'importe! S'il est assez fou pour me traquer, je me fais confiance pour le détraquer ou pour l'aimer à la longue. Le détraquer d'abord. C'est peut-être du pareil au même quand on abandonne l'autre en chemin. J'ai le goût de m'offrir le prêt permanent. Le pied dans le vide... À nous deux, mon Ken! Tiens bien ta bécane! J'ai hâte de voir si tu vas graver le bois du deuxième banc de la septième écluse de Chambly.

Tu l'ignores encore, mon gars, mais ce matin, le baladeur c'est moi. Et c'est moi surtout, à l'aveuglette, qui te fais confiance. Mais il y a un prix. Tu écris que mon visage ne te quitte plus, que tu me vois en rêve, en vie, en rut si j'ai bien traduit. Alors, je suis un walkman que tu vas garder une grosse semaine, et puis une plus longue encore, très longue, un contrat à mort quoi. Tu parles de jeu à deux et me ramènes le mot confiance, même le mot amour! C'est chou. Cela tombe bien ou mal, c'est selon le point de vue: mes piles du côté de ce lecteur de bandes usagées sont plutôt à plat depuis les reprises de *Passe-Partout* et les sorties de famille.

Mais, cette nuit, j'ai décidé de me brancher le rechargeur sur le 220. J'espère, mon Ken, que tu as du bon câble. À quelques kilomètres d'ici, il pleut sur un banc et tu trembles sans doute un peu, de froid, de rage ou d'appréhension. Il pleut sans arrêt. Je ne verrai pas à six mètres devant ma roue. Beau temps pour les cataplasmes de sangsues. Plus question de laisser couler du mauvais sang dans nos veines. Ni d'ailleurs, mon gars, de fermer les yeux pour y poursuivre, dans d'étroits vaisseaux rouges, les visages aimés qui nous ont abandonnés. Il y a une limite à tout. Tu peux me faire confiance. Toi et tous les futurs passagers du même voyage.

D'une chose à l'autre

Pourquoi ne connaîtrait-on pas une véritable ivresse amoureuse, tendre et profonde, au contact du printemps, ou de tous les êtres?

Etty Hillesum

À première vue, les vagues ne se brisent que sur les rives, sur les falaises ou sur les plages. Mais de fait elles se brisent aussi au large sur le silence, en plein oubli. Les plus secrètes meurent loin des voyeurs ou des branleurs crampés devant les sirènes qui roulent de la queue d'écailles en murmurant des noms d'étoiles. Si le mois de mai promet des pleines lunes dans chaque bassin, le mois d'août laisse le sable ridé des châteaux sur la Grave. Reste juillet pour apprendre aux moutons à tenir l'écume sur les passions.

Cet été de jours enjoués, le seul et unique été des dix-huit ans d'une fille de fine épouvante, le vent fidèle des îles de la Madeleine fut témoin de la plus douce histoire d'amour salé imaginable. Le zéphyr en parle encore aujourd'hui aux Jean, aux Jacques et aux Pierre qui couchent sur les Collines de la Demoiselle les nuits où la mer se fait par trop oublieuse. Les amoureux, qui ont l'oreille faite aux chuchotements, l'entendent toujours d'une chose à l'autre.

Premier tableau

D'abord, parole de jetée, ce ne fut pas un couple qui débarqua au port de Cap-aux-Meules un soir de juin mais plutôt un éclat de rire. Quelque chose comme une vivante affiche du plaisir sauvage et de l'insouciance enragée. Une silhouette de chameau disloqué qui sort du traversier *Lucy Maud* et avance sur le débarcadère puis se défait devant le bureau de renseignements.

Deux sacs à dos de mauvais coton, une orpheline à peine sortie des limbes et son Orphée fragile, deux fatigues nerveuses, baveuses, et une série de questions à la préposée.

— Où est-ce qu'on peut passer l'été pour pas cher à l'abri du déluge, des ouragans et du bain à remous de mon oncle Gérard?

— Au déluge, Mado, crois-tu que Noé avait un aquarium dans son arche?

— Tu prends l'eau du coco, Vincent... Ça se marche facilement, les Îles, madame? Où est-ce qu'on peut planter notre tente pas trop loin d'ici?

Ils apprirent assez vite les Îles, en commençant par le nom télescopique du gars Jean-Denis à Clovis Leblanc, justement, qui avait un petit chalet vacant, chemin du Laboratoire, à Gros Cap. Ils firent promptement l'expérience des Îles en même temps que celle de la joyeuse désinvolture du Jean-Denis en question.

— C'est pas encore la saison. Le chalet est loué dans deux semaines. Vous ferez le ménage avant de partir, puis des petites réparations en attendant. C'est un bon *deal*?

— On en profitera pour faire le ménage dans nos méninges. C'est extra!

— À la nouvelle lune, il fera plus chaud pour tenter au camping de Fatima.

Parole de jetée, ils se mirent, par tous les temps, à lire les nuages, la terre et le vol des oiseaux de mer. Fouillant comme des fous dans leur amour libéré, ils cherchèrent tous les éclats du bonheur que la vie leur avait volé. Je veux bien perdre toutes mes dents de béton si ces deux-là n'ont pas vécu ici le plus aveuglant de leur amour, le plus déchirant.

Deuxième tableau

Le chenal est étroit dans les hauts-fonds de l'île d'Entrée. Des peureux m'ont accroché une cloche sur la tête pour qu'on m'entende même quand le mauvais temps me dérobe à leurs yeux. Mais si vous voulez tout savoir, je m'en balance. C'est d'ailleurs pour cette raison qu'on me laisse là avec mes sœurs de la Passe. Si les enfants nous trouvent drôles et si les veuves de l'âge d'or, cœur serré, se recueillent quand le bateau nous frôle, je m'en balance également. Les premiers ne savent pas de prières où nous retenir et les secondes n'avaient qu'à prendre soin de leur amour. C'est la vérité.

Même les jours de mer étale, je les laisse passer en haussant lentement les épaules; juste le mouvement qu'il faut pour que les touristes prennent mon indifférence pour de la lenteur et se pâment.

— *My God! What a lovely way of life, Henry...*

Moi, j'ai le dos tout le tour du corps et veille à ce que les regards coulent dessus comme sur celui d'un huard. De toute ma vie, je n'ai jamais connu qu'une attache et c'est ma chaîne. Aussi, je n'accompagne en pensée ni les touristes ni les oiseaux de passage. Aucune espèce d'exception. Pour rien ni pour personne. Sauf pour ces deux-là.

Le C.T.M.A. arrivait de Montréal. Quand le *Lucy Maud* a viré devant l'île d'Entrée, la lumière sur mes fers a sursauté. Vrai comme je suis là. Sur le second pont, ces amoureux soûls d'air salin avalaient tout autour d'eux. Chacun embrassait le jour s'étirant sur l'archipel, le blanc du bateau, le vert et le bleu brassés plus net dans l'eau d'ici que dans l'au-delà, a dit la fille en riant. Ils embrassaient tout du regard et des lèvres, le corps aimé et le paysage jusqu'au sel. Ils buvaient la vie comme les êtres à vif qui retrouvent la foi.

Ivres de mots à jouer, de bluettes, de mille bras autour de l'autre, de rires entre les larmes et de silences en sable fin... Gris de cette folie des cœurs longtemps amarrés et enfin au large... Je les ai vus passer près de moi, me prendre simplement dans leur bonheur, dans leur amour en vagues dans l'air. L'éternité, un éclat de rire entre les granules du temps. Je sais cela, parole de bouée. Au matin de leur retour, j'aurais pu le jurer, le brouillard jaloux les enveloppa. Mais jamais je ne les oublierai.

Troisième tableau

Il y a les promesses d'amour ordinaires, catégorie projets d'avenir pour couple sérieux à bretelles doubles, comme on trouve aussi des fiançailles à l'hélium, classe Châteaux et Relais, pour passions à finir en numéros de comptes à l'étranger. J'en ai entendu de toutes les sortes depuis le temps que je fais du foin. Parmi les nombreuses promesses que j'ai surprises entre les branches, je devine le plus souvent des faire-part stockés de loin pour des noces d'argent déjà oxydé.

J'y trouve aussi, parfois, des poèmes naïfs griffonnés sur des serviettes de table que les chenilles du sablier vont métamorphoser en papier de soie inusable. Celui qui s'appelait Vincent en possédait tout un cahier, comme une trousse de secours quand sa Madeleine avait mal. Des chansons, des contes ou des poèmes qu'il déroulait pour tenir à l'ancre les vaisseaux fantômes des dernières années. Ces amants allongés sur les pois de mer conserveront longtemps le championnat secret des serments d'amour toutes catégories.

Au milieu de l'été, lorsqu'ils s'amenaient en courant, les puces de sable, pourtant si craintives à la lumière et si heureuses dans leurs tunnels humides, risquaient leur vie dans les fétuques pour voir celle des amoureux et les écouter. Pour écouter le gars surtout qui avait toujours un poème à déplier.

— D'abord Mado, on va commencer par faire l'amour sur chaque grain de sable, sur chacun je te dis. Tu vas devenir le plus rose des coquillages et je serai le Bernard le plus ermite de ton ventre. Sans compter que ça va me faire un beau logis pas cher.

— C'est Vincent ou c'est «vingt cents», ton nom?

— Pas de blague avec les choses du culte! Laisse-moi finir de lire ma trente-septième déclaration d'amour officielle: «Tu vas faire le sel et moi l'eau douce. Peut-être aussi le mouvement perpétuel. Puis, quand il ne restera plus de sable ni de falaise à moudre pour faire d'autre, je t'annoncerai que tu es vierge et nous recommencerons depuis le début, mais cette fois appuyés au ciel puisqu'il y a autant d'étoiles que de grains de sable. C'est ce qu'on dit dans mon livre en tout cas. Ce sera une bonne façon de vérifier. Ensuite, toutes les empreintes de nos corps deviendront une immense saline pour donner une chance à la vie de se refaire un fonds.»

— Puis après ça?

— Après ça, Mado... on ira déjeuner!

La fille éclatait de rire. Et de bonheur raccommodé.

Mes renards furent d'abord effrayés par le bruit des bouches, les poèmes de nuit et la fixité des lunes incrédules arrêtées au-dessus des gémissements. Puis, à tour de rôle, les bonnes et les mauvaises, les pleines et les menteuses, les vieilles et les rousses à grandes marées, toutes les lunes du temps qui passe avaient fini par les intriguer. Bientôt, eux aussi s'attardèrent pour épier ces amoureux et apprendre comment les choses se passent lorsqu'on ne regarde ni de chaque côté sans cesse ni trop souvent derrière.

La fille, menue, offerte, tout en duvet, formes pigeonnantes et chair de poule, les fascinait. Autant que la mort accrochée à ses cheveux.

— Si tu oublies de faire la vague un seul instant, Vincent, la mer t'avale. Si tu cesses de naviguer, vent derrière ou vent devant, de louvoyer de ma joue droite à mon oreille gauche, c'est l'érosion qui t'attend, mon cap rouge en menace de grève.

Les renards n'entendaient rien au délire de la fille en sucre d'orge noir et en nage dans la lumière humide, mais chacun la dévorait des yeux. Surtout lorsque le gars l'appelait «mon oiseau de rivage ou mon alouette connue, ma cocotte-minute...» On aurait dit que son plaisir et son exultation avaient goût de sel et de sang, que dans ses égarements brillait une lampe-tempête. Tous, ils jurent avoir vu du roux au creux de son corps. Parole de Dune du Nord, mes renards étaient fous de cette fille.

Quatrième tableau

À la fin de juillet, peut-être à cause du mouvement incessant de la tente, ou inspiré par l'ondulation naturelle de la mer devant le camping, Vincent était au plus fou de sa folie. C'est du moins ce que nous avons conclu des faits et gestes ainsi que des propos tenus alors sur le chemin des Montants. Le garçon avait d'abord insisté auprès de sa compagne pour aller à l'île aux Cochons avec une façon, vraiment, de ne pas le dire avec des fleurs... Ce qui nous avait froissées, mes sœurs et moi.

Ils s'amusaient, bien sûr, du corps fendu jusqu'aux oreilles et tous les deux soignaient probablement de profondes peines. À gros mal, gros mots, répétait notre père Hélios. Nous ne chicanerons pas là-dessus. Mais leurs paroles soufflaient plus cru que le nordet. À leur passage, les plus jeunes talles de la famille eurent, spectacle désolant, le capitule flétri avant le temps. Fort heureusement, les yeux, les mains, les bras tendent du velours sur tout cela. Et ces deux-là ne manquaient ni de bras, ni de mains, ni heureusement de tendresse.

Après avoir goûté de l'île aux Loups pour les mêmes raisons que de l'île aux Cochons, la fille aux lèvres charnues entraîna son amour jusqu'à nous, sur les douceurs du Chemin des Montants, dans les rondeurs de son désir insatiable. Il s'est passé, ce jour de juillet finissant, quelque chose d'inusité, difficilement explicable.

Arrivés à l'aube au sommet de la Butte Ronde, à moins qu'ils n'y aient passé la nuit en silence, les amants scandaleux ont remplacé le petit-déjeuner par le jeu de l'effeuillage auquel nous nous prêtons toujours de bonne grâce. Sans doute est-ce notre nature.

«Elle m'aime un peu, beaucoup, passionnément — un peu, beaucoup...»

Infailliblement, le jeune homme terminait sur la languette *passionnément,* pendant que la fille, yeux clos, annonçait simplement le dernier rayon en le nommant à sa façon: un peu, assez, beaucoup, parfois aussi, bien sûr, passionné, mais.

Comme une nuée, un mauvais présage, quelque vilain souvenir ou subitement la peur...

Son ami, de toute évidence, connaissait les tenants et aboutissants de ce nuage. Il a sorti un autre poème de sa besace. Il lisait à genoux, l'appelant «... mon île, mon nom sans pleur et sans reproche, je vais épouser ta forme et l'un dans l'hôte, nous allons rouler dans les fleurs jusqu'au fond du vallon, nous n'épargnerons que les trèfles à quatre feuilles...»

Et, sous lui, sur lui, la fée citrouille a tourné sept fois comme dans les contes, tourné cent fois comme dans Superman que nous avons vu au cinéma en plein air, tourné de plus en plus vite, de plus en plus creux, habillant la crainte en cris, en rires, en étourdissements.

Puis, aux trois quarts de la butte, tout s'est arrêté autour d'eux: le vent, le rouge des framboises, les nuages, la pierre de brûler, les grillons de chanter, le plomb du soleil, les plaquebières et l'erre d'aller des vivants. Un œil immense dans une parenthèse. Dieu retint l'image une seconde afin de marquer le pas. Le cœur de tout ce qui battait a sauté un coup. En ce qui nous concerne, nous avons supprimé chacune un *un peu* ou sauté un *beaucoup* pour arriver avec la fille sur le même temps. Parole de marguerite, elle n'a repris son souffle qu'à la maison rose, en nage, emportée passionnément.

Aujourd'hui encore, les trèfles à quatre feuilles se prennent pour les auteurs du miracle. Mais, c'est inscrit dans leur nature, ils ont toujours confondu l'amour et les signes de chance.

Cinquième tableau

— Je vous jure! Si vous laissez rentrer ces deux excités pour la dernière partie du spectacle, vous allez nous rembourser le prix des billets. Assez d'être mal assis sans voir des obsédés se tripoter devant nous.

— Compris, Vincent? Peux-tu faire quelque chose avec ta bourse pour la madame? Son mari manque peut-être de petit change...

La gifle est venue de la dame qui était à portée de voix, tandis que les taloches et les invectives qui ont suivi, coup sur coup, sont plutôt sorties de la fille, appliquée à regarder blêmir l'autre ou à se défaire de quelques bras.

— ... et puis veux-tu sourire, vieille pitoune? Veux-tu faire moins de bruit avec tes bracelets? Déplisse ta peau en dessous de ton fard à joues de clown de luxe. Essaye de remonter le coin de tes lèvres jusqu'à tes boucles d'oreilles. Ouvre plus grand ta bouche pour qu'on voie tes dents en or. On te l'a dit pendant le spectacle, décrampe! Desserre les fesses pis lâche ta sacoche deux secondes. Si tu l'aimes pas Lamontagne, ferme ta trappe ou fais de l'air. Air bête... Toi, le m'as-tu-vu, baisse le ton, c'est pas toi qui donnes le show. Tu fais suer avec ta chemise en peau de caniche. T'écœures les autres qui veulent juste écouter des contes. Maudit plein!

La propriétaire de la petite salle du Vieux Couvent, Mme Cormier, a demandé aux jeunes de se calmer. Madeleine était sur le point de pleurer. La vieille outragée est partie avec son mari en soie, se recoiffant tant bien que mal et jurant d'une voix aigre que les Îles c'était fini, que le bateau pour Montréal, quant à elle, ne repartirait jamais assez tôt le lendemain.

Le plus drôle c'est qu'elle s'appelait Emma. Son freluquet n'arrêtait pas de répéter aux témoins: «C'est Emma qui se fait insulter puis c'est Emma qui s'en va.» Les gens de la place s'efforçaient de ne pas rire et, le plus sérieusement possible, confirmaient que c'était effectivement une bonne compagnie. Le fait est que les Madelinots sont plutôt moqueurs. Même les jours de gros temps. Parole de bons vivants.

Lettres d'amours fragiles

Il y a de la place dans l'art, à côté des romanciers et des journalistes militants, pour les «amoureux nécessaires».

CYRIL CONNOLLY

Ma surgie de l'ombre,

La mer mémorise de loin des lettres d'amours et toi, tu vis plus loin encore de l'autre côté, au bout impossible du regard. Mon temps, surtout mon temps, t'est étranger même si chaque jour je vois flotter tes seize ans dans cet été; je ne sais plus où donner des sens pour te reprendre dans mes rêves, pour me survivre et pour te suivre. De la rosée au serein sur le liseron des dunes, les mains dans le parfum coulant de la lumière, j'entends le doux de ta voix jusque dans le plain-chant des moines en prière. Je passe là où tu n'es pas prévue et j'attends pourtant une faille, un éclair dans la succession des secondes, pour y lancer une petite bouteille de verre opaque (il se peut que ce soit une lampe) dont le vieux génie incrédule et peiné soigne son cœur en écrivant des lettres d'amour avec du jus de citron. Même le blanc du papier autour de ses mots reste mystérieux. Surtout celui où son nom devrait apparaître

au pied de la lettre.

Comment revenir jusqu'à toi, mon étrangère à présent?

Entre Rennes et Paris,
juillet 1991

Ma vie en douce,
      Le soir venu, je te vois nager dans l'eau peu profonde de
la rêverie, ce demi-sommeil où tes jambes ne craignent ni la trou-
blante caresse des algues ni les verveux oubliés par le temps au
fait de la folie douce à l'entour de ton corps. Plus tard dans la
nuit, la chambre où je dors est pleine de tes mouvements alors
que ta respiration se déroule au ralenti dans les hauts-fonds de
l'air; derrière mes paupières, la spirale des images ramène sans
cesse le courant des prénoms entassés sous la terre — matière
même du chenal où coule le désir — station Berri ou Madeleine;
un chien aboie derrière les murs pour chasser du sommeil tous
ces masques rôdeurs montés sur des corps en peine. Aux premiers
bruits de l'aube, les scories de la forge à folie tiennent mes yeux
fixés sur le sol et brisent le rythme des pas, l'allure des bras. Entre
les syncopes, je reçois toute musique souterraine comme une pro-
messe de ta présence et passe lentement d'un tunnel à l'autre,
d'un couloir déserté à un carrefour encombré pour découvrir que
le chant de la traversière ne me conduit jamais à tes mains
déliées ni ne ramène à mes yeux tes lèvres qui ourlent la scanda-
leuse beauté de ta bouche. Je sais dès l'aurore que chaque soir
poursuivra ce songe sous les toits de la ville où chacun lime les
aspérités de sa douleur obscure. En attendant de retrouver les
inflexions de ta voix dans les modestes vérités du jour, je laisse
dériver le filet du premier rêve: ma pauvre façon de t'appeler
dans la nonchalance du songe.
      Quand je ne serai plus là ni ici ni ailleurs dans ta féerie
je t'appellerai... ma peine perdue.

                    ❦

Le Conquet,
mai 1992

Madeleine,
    Pendant des semaines, j'ai laissé du papier à lettres jaunir au soleil. D'autres feuilles ont fini par s'enrouler dans l'humidité du jardin sauvage. Les choucas m'ont souvent crié de t'écrire. Les corbeaux aussi. Mais c'était bien avant aujourd'hui, ailleurs, loin d'ici. J'ai toujours su où te trouver. Et puis, un jour, la cloche de la vieille église du village où j'ai fui m'a tiré du silence peureux. Alors j'ai décidé de rappeler ton amour, mot à mot. Je vais t'écrire jusqu'à ce que tu apparaisses devant moi. Je t'imagine au fond d'une classe, les yeux tournés vers une fenêtre où le jour vibre. C'est là que je t'ai laissée. C'est de là que je veux te reprendre de mémoire. Plus que la mort, je le sais bien, ces lettres pourront me retirer définitivement du monde. Cela dépend de toi. Je les signerai plus tard, quand tu viendras me retrouver dans ce pays qui est aussi le tien.
    Te souviens-tu de ton nom?

Madeleine avait lu et relu la dernière lettre en s'étonnant que son vieux professeur se remette aux lettres d'amour. Celles qu'elle avait reçues un an plus tôt l'avaient plus amusée que troublée et plus encore confirmée dans la folie douce de ce passionné de légendes bretonnes. Toute l'année il avait tourné autour d'elle et, aux vacances, lui avait écrit de Bretagne où il passait ses étés depuis longtemps. Sans contact avec lui depuis un bon moment, Madeleine était déconcertée par le ton et la calligraphie de cette dernière lettre.

Il lui avait rappelé le sens de son nom de famille, qu'il écrivait Kerouac'h, et ravivé sans le savoir tous les souvenirs de son père repris par son prénom d'origine. La Bretagne était aussi la terre de Trévidic qui n'avait d'yeux que pour elle en présentant aux élèves la belle histoire de Tristan et Iseut, le «malentendu entendu de tout amour». Madeleine avait aimé l'expression. Elle avait aussi été touchée par cet homme qui avouait ses sentiments sans rien lui demander d'autre que d'être là, vivante aux mots qui valent la peine tout autant que la joie. Ce qu'elle savait de la vie aussi maintenant.

Depuis des années qu'elle avait besoin de retrouver cela: une tendresse jusque dans le silence, un regard aimant, les gestes qu'on retient et qui pourtant font signe dans l'air. Elle ne se lassait pas alors d'écouter les légendes et les contes qu'il racontait en classe. Lui aussi connaissait tous les récits qui font savoir aux enfants perdus que l'histoire la plus cruelle ne les livre pas au malheur sans laisser de pierres blanches pour qu'ils retrouvent leur chemin, des cailloux gris à lancer dans les vitres ou des galets à ricochets pour passer le temps près de l'eau. Il avait beaucoup insisté aussi pour dire qu'il fallait éviter d'avaler la rivière ou d'être avalé par elle. Chaque mot avec lui prenait tous ses sens.

Madeleine aurait aimé que quelqu'un lui révèle justement le sens de certains passages de cette étrange lettre. Comment le vieux Trévidic pouvait-il souhaiter qu'elle le retrouve en Bretagne? Au fond, il ne connaissait rien d'elle. Comment reprendre ce qu'on n'a jamais pris?

Elle relut attentivement la lettre depuis le début. Chercha à repérer Le Conquet sur une carte du Finistère. S'arrêta longtemps au verbe *fuir*. Puis soudainement se mit à imaginer l'impossible, l'amer et le plus doux à la fois. Tout était sens dessus dessous dans sa tête.

Le Conquet,
mai 1992

Mon enfant ma femme,
   Quand le matin tout chante, personne ici ne peut croire
à la détresse de la nuit. Sa peine est pourtant vomie avec le
mauvais vin des uns ou chantée dans le champagne des
autres. C'est égal maintenant. Comme elle au réveil, je regarde
les bouteilles faire rempart devant la fenêtre où le brouillard
s'appuie. Derrière ou dedans, je n'ai jamais su pour cela non
plus, il y a la mer, cynique, qui tourmente des îles remplies de
veuves. Et plus loin que la lumière du dernier phare, de l'au-
tre côté de l'océan, il y a ta beauté de jeune femme revenue
occuper tout l'espace de chaque rêve. Le noir de tes cheveux
retient la lumière de chaque matin. C'est pourquoi il se colle
aux vitres et pourquoi je t'appelle de l'extrémité de la terre. Ce
n'est pas la fin mais le début du monde. Il n'y a qu'à tourner
le dos.

Plus révélatrice que la première, cette deuxième lettre réduisit le doute dans la tête de Madeleine et amplifia son désarroi, joie et peur confondues. Son vieux professeur détestait l'alcool et moquait en classe les apprentis ivrognes dont il soulignait joyeusement la délicieuse promesse du double pli à l'épigastre. Et puis surtout, elle colorait ses cheveux de reflets roux depuis des années, depuis qu'elle ne voulait plus voir sa mère chaque fois qu'elle passait devant un miroir. Trévidic ne l'avait pas connue autrement...

Ces lettres ne venaient plus de Trévidic dont elle reçut d'ailleurs une carte postale quelques jours plus tard et qui l'espérait heureuse avec son ami Vincent, regrettant, dans les circonstances, de ne pas avoir eu le courage de lui faire signe au cours du dernier trimestre. L'affliction et la paix s'écrivent sur la même table, disait-il; pour qui sait ouvrir vraiment tout son courrier, les yeux qui lisent ne peuvent qu'oublier la main qui signe. De toute manière, ils l'inventent.

Paris, Montparnasse,
mai 1992

Mon amour repris,

    Je t'écris d'une gare où tant de gens vont et viennent que je finirai par te faire apparaître à mon bras sur un des quais. J'ai un truc très simple. Lorsqu'elles ont des traits qui t'appartiennent, je travaille depuis quelques jours à découper les femmes qui défilent devant moi. Des cheveux de chat de sorcière, une bouche à tout prendre, des jambes sans limites... S'il n'en reste plus dans les escaliers venant des trains de banlieue ou des grandes lignes, je fais la navette entre la rue de l'Arrivée et la rue du Départ. Les autobus sont pleins de souvenirs en morceaux de toi. Je ne laisse rien passer.

    Mais c'est un aspect seulement de la magie que je mets au point. Le plus important tient aux beautés que je piège sur les pages de mes petits carnets ou dans ma tête en attendant de trouver les bons mots. Des femmes souvent, mais aussi d'autres vies qui laissent du sel sur la langue quand on y pense. Comme l'odeur du buis fraîchement coupé, le jaune des capucines le long d'un vieux mur de planches, les blancs sablons qui roulent l'écume en joints serrés, un vieux coucou appliqué qui chante quarts et demies sans se décourager, les compagnons rouges tout le long des fossés...

    Tout rappelle à la vie et je prends des notes, cherche les formules qui t'enlèveront. Ce n'est plus dans les lignes de la main que le mauvais destin apparaît, mon amour, mais sur les murs lézardés de la ville où tu vieillis dans les ruines du passé. Tu dois fuir toi aussi, te sauver de tous ceux qui bouchent ta vue pour se payer la courbe de l'horizon ou des rapides en rivière. Tu peux t'abandonner au mouvant du chemin jusqu'à ce que tu sois venue me retrouver. Bientôt, tu n'auras plus rien de toi à mettre dans tes pas sur les chemins connus. Je suis en train de t'enlever, de déménager ici tout cet amour comme il était auparavant.

Aussitôt partie, tu sauras que les nuages sont raboteux. Cette terre au bout des bornes devant l'île d'Ouessant emprunte à la mer déchirée plus de rêves que tu en trouvais dans les contes qui t'ont bercée. Tu sais que la patrie demeure le lieu clos de notre nom. Il y a un phare dans chaque goutte de ses embruns et de la douceur dans le plus dur de son granit. Le malheur parfois nous y ramène, tu le sais bien, mais c'est le bonheur qu'on y trouve, le miracle d'une femme ressuscitée que je n'ai pas tuée, que je n'ai pas tuée.

Un jour ou l'autre, tu prendras un train de cette gare où j'écris pour me le confirmer. Non pas pour aller où la terre finit, mais là où la vie commence. En arrivant à Brest, sur un mur de ciment à la hauteur de la rade, tu pourras lire ce message en grosses lettres rouges: CHÈRES AMIES NE SOYEZ PAS TRISTES. LA VIE PEUT ÊTRE BELLE. Je te jure que c'est vrai.

Je t'attends.

P.-S. Ici, il y a de grandes fêtes qu'on appelle des pardons.

C'est en tremblant que la jeune femme rangea avec les autres, dans une grande enveloppe brune, ces lettres qui n'avaient plus rien d'anonyme. Elle souligna au crayon-feutre bleu ce qui était déjà écrit en noir dessus — *Lettres d'amour fragile* — ajoutant un *s* au dernier nom et à son épithète en se disant que le pluriel se justifiait sans doute pour chaque mot. Des lettres d'amours fragiles. Le féminin peut-être aussi...

Quand son père vivait avec ses trois femmes, ainsi qu'il aimait le dire, avec ses jeux, avec ses mots, ses yeux moqueurs et ses histoires de rire, quand il s'appelait encore «la mère Michel», il leur racontait parfois ce qu'il intitulait «Conte des amours faciles». Une histoire «absolument authentique» où il brodait un brin autour des premières rencontres entre Hélène et lui. Une

espèce de fable amorale, une évidence, un philtre.
Hélène y tenait le rôle de Belle Hélène et lui, celui de
la pauvre poire pour qui, malgré tout, l'affaire finissait
par être chocolat. Un conte complètement délirant qui
faisait toujours rire ses trois femmes, mais surtout la
plus vieille. Le conte des amours faciles... Madeleine se
dit qu'elle avait dû mal entendre. Ce devait être «des
amours fragiles». Un malentendu qu'elle entretenait
d'ailleurs avec son ami Vincent.

Les hirondelles

Longtemps j'ai vécu dans une maison en flammes en étant uniquement soucieux du tic tac de l'horloge.

ALBERT EINSTEIN

Matin torride. Humide. Une avance sur la canicule. Les rêves rangent au ralenti leurs effets spéciaux. On dirait la musique d'un générique en lento. Les yeux encore tournés vers le dernier sommeil, j'ai entrevu sur les fils téléphoniques une effervescence d'hirondelles. Douze ou treize bicolores en émoi. On aurait dit des copeaux de tôle surchauffée, derniers reflets de la nuit dans l'aube.

Je me suis versé un peu de jus de pomme, question de forcer l'acide, le sucre et le salin de la salive à s'équilibrer en me tirant de l'amertume. Boire lentement mais sans arrêt en inclinant la tête. À travers le fond du verre, je n'ai plus vu qu'un seul oiseau, paralysé, à moins que ce ne fût un écureuil électrocuté. Fin juin, il y a des réveils à l'étuve qui ravivent les idées fixes.

Le temps de brancher la bouilloire et de mettre le couvert, les hirondelles sont revenues. Je pense au poème de Prévert, «La Cène», et à ce que je vais me tartiner encore sur le pain grillé de la journée creuse. Je ne suis pas non plus dans mon assiette. Les livres heureusement ventilent. C'est le paradis sur demande. Le paradis ou l'enfer. Comme on veut. Pouvoir absolu. Même ma sœur a remplacé son Ventolin par Verlaine. Sauf qu'elle allume elle-même le feu à ses cheveux.

Toutes les hirondelles sont revenues. Alignées à nouveau sur l'un des fils, presque immobiles, elles comptent jusqu'à dix. Je les entends comme si j'étais tendue sous leurs pattes. Fébrilement, en désordre, elles comptent jusqu'à dix puis, prêtes pas prêtes, elles s'élancent en folles dans le silence froissé. Toutes sauf une. L'image est nette dans la brûlante clarté du jour: sur le fil noir, une hirondelle n'a pas soulevé la plus petite plume blanche de son ventre ni une seule brune du dos. Rien. Parfaitement immobile. Je crois qu'elle a le vertige ou tout simplement peur de partir. Peut-être aussi se sent-elle encore trop jeune ou déjà épuisée dans ce matin de patience crépue?

À la fin de l'été, si le moindre battement d'ailes soulève encore le drôle d'oiseau avec qui je vis, je ressemblerai au coton grené de la plante en question. De gré ou de force, tout se fait à l'idée de la saison. Moi, mon amour est emporté par le beau temps. Pendant qu'il observe tout ce qui pousse ou ce qui vole, je sers de la salade et du poulet chez Saint-Hubert. Significatif.

Les hirondelles à tour de rôle maintenant font semblant de voler sans lâcher le fil. Il y en a exactement treize, je les ai comptées trois fois. À quoi riment ces simagrées?

— Si tu veux partir, tu pars, tu lâches le fil, c'est tout. Mais si tu m'aimes encore comme tu le dis, Vincent, tu prends ma main, tu la tiens comme avant, tu ne la cherches plus dans les nuages ou dans l'herbe à dinde. C'est simple. Ça guérit, les simples...

Mais ce matin, comme tous les autres matins depuis un mois, Vincent ne déjeune pas avec moi. Et de toute manière, il ne répondrait pas. Il ne réagit plus aux remarques de ce genre, n'en voit pas la nécessité. Il n'aperçoit guère non plus ce qu'il cherche s'il n'est pas seul et loin de moi. S'arrêterait-il ce matin au théâtre des bicolores à la fenêtre? Le verrait-il seulement? Illuminé, il court la vie comme on court les rues pour démonter le bonheur en petits morceaux. Cela me scie.

Si je peux finir par me défaire de l'habitude de faire de l'humour lorsqu'il faudrait plutôt dévider l'écheveau des chagrins. L'écrin ou l'écran des mots? Depuis le cours de littérature humoristique, je me méfie de plus en plus de cette politesse du désespoir. Il me semble que l'expression est de Gustave Flaubert. Je devrais lire *Les mémoires d'un fou*. Des textes qui ont ravivé le souvenir du regard abattu de papa, le plongeon dans l'absurde. Les coups du sang dans mes tempes. Figure lancinante qui maintenant fait signe du bout de sa nuit comme l'esprit de Vincent bat la campagne. Est-ce toujours le même qui déménage sa tête et entraîne mon cœur? Relire Céline ou une autre fois la dernière lettre d'Hélène.

Les bicolores bien alignées à nouveau semblent coulées dans l'étain. Il y en a deux, c'est remarquable, qui restent plus serrées l'une sur l'autre que ne le sont leurs sœurs. Est-ce la maman et une petite de cet été? Est-ce son père qui l'insulte, la traite de peureuse, de pas brillante, qui dit n'importe quoi parce qu'il est déçu d'elle? Ou peut-être est-ce sa cadette qui l'encourage à risquer encore le vide, pour survivre? Je n'arrive pas à quitter des yeux les deux poitrines blanches.

Quand le pain danse, disait maman, reviendra l'abondance. Les deux toasts viennent de sauter du grille-pain dont le déclencheur finira par les incruster au plafond. De là sans doute l'expression *y aller aux toasts*... Abondance en effet, mais de quoi? Je me le demande.

Vincent rentrera peut-être ce soir exactement comme il était il y a un an quand il passait ses jours à me toucher, me caresser, m'embrasser, avant qu'il confonde notre amour avec la chicorée sauvage, le bassin de Chambly, un balbuzard ou quelque étoile filante. Le vrai Vincent reviendra demain en «chien sniffeur», comme lorsqu'il me reniflait par saccades bruyantes dans le cou, derrière les oreilles, partout; parfois même pendant les cours de philo s'il me savait triste, ou tout bonnement pour faire japper le professeur.

Cela l'amusait immanquablement. De fait, tout l'amuse autant maintenant. Tout le ravit. C'est bien là le problème: il vit dans l'abondance du monde, au paradis, et dit trouver partout la joie. À condition évidemment que ce soit ailleurs... La beauté des choses n'habite plus chez nous. Mais le pain danse pourtant ici ce matin. À qui se fier?

Dès le début du dernier semestre, j'aurais dû dire à Vincent que cette façon qu'il avait de m'appeler de trente noms différents, invariablement empruntés au décor, me tapait sur les nerfs. Le velours m'étouffe à la longue. Je dois être au coton.

Au petit printemps, quand j'ai voulu le ramener sur terre et plus souvent sur moi, il m'a regardée avec des yeux inquiétants, un regard que j'ignorais chez lui.

— Mad, en anglais, c'est ton prénom. Fais un effort, ma nouvelle lune, pour hurler avant le loup. Il faut s'éclipser en douce. J'aime tout le temps maintenant. Plus de détours.

Je trouvais plutôt qu'il déraisonnait et je le lui ai dit.

— Tu délires. Tu as abandonné tes cours pour triper sur des affaires plus vraies, comme tu disais. Je pense que ce qui est vrai, c'est que les choses vont t'étriper.

Tremblant, il m'a effleuré la joue du bout de l'index. Le fou rire ou les larmes, je ne savais plus de quel côté verser. L'année m'avait limé les nerfs. Lorsqu'il est reparti, je riais aux larmes. De peine ou de misère, aujourd'hui encore je ne sais pas vraiment de quoi.

Quand nous étions petites et insupportables pour papa qui n'arrivait plus à être heureux, il nous appelait «chose», ma sœur et moi. Le souvenir m'en revient souvent depuis quelques semaines. Trop de bruits, trop de folies d'enfant, de jacasseries insouciantes; une permission à demander pour aller nager dans une grande piscine creusée, chez les parents d'une amie. Sorti ainsi de sa torpeur, il commençait sa phrase par «Écoute, chose...» Ce qui me frappe dix ans plus tard, c'est que je me fais déchirer le cœur par un gars qui confond justement les choses du cœur avec le cœur des choses.

— Zen ou Zazen, comme tu veux, mon loup-gourou... Pour l'instant, toutefois, mon essence tient dans un libre-service dont les pompes rouillent. Tu ne te privais pourtant ni de jus ni d'octane, Octave, au début de notre voyage...

Je n'aurais pas dû rire ni lui chanter la chanson sur cet air... C'est beau la quête de l'inaccessible, mais Madeleine aussi, Madeleine qui attend le prochain autobus, le métro, le train, une lettre, un mot, le pied, la grue. Chose!

Le bonheur fou de l'été dernier aux Îles se tasse dans ma boîte à souvenirs avec les poèmes d'amour de Vincent qui font déjà de l'écho. J'étais sa peau, son frisson, sa douceur dans la doublure du corps, son archipel à lui tout seul de la Madeleine. Le premier été réaccoutumé au plaisir, le cœur en feu à la mine de miel. Je n'écris pas le détail des opérations au cas où des enfants, s'il en reste autour, liraient par-dessus mon épaule... Il faut toujours se préoccuper des enfants. J'aurais d'ailleurs dû le faire en priorité l'année passée. Tout s'est déroulé trop vite ou bien je comptais comme d'habitude sur la lune. Les coups de tête laissent-ils toujours le cœur en charpie? Le corps, aussi?

— Tu as un emploi cet été?... Moi non plus. Tu veux passer l'été rue Notre-Dame à écouter ronfler le climatiseur de la commission scolaire?... Moi non plus. Alors on part aux îles de la Madeleine avec ce qui nous reste d'argent de la bourse. Ramasse tes petits, puis laisse un message au répondeur de ta tante qu'on va entendre hurler de là-bas.

Nous étions en train de faire un peu de rangement dans l'appartement que nous avions sous-loué. Vincent m'a pris la tête à deux mains — ce que j'avais fait d'ailleurs moi-même toute l'année — et m'a doucement embrassée sur le front. Du camarade imprévisible et amusant surgit alors un drôle d'amoureux. À peine sortis du coma de la dernière année en lettres, nous sommes partis poursuivre sur le terrain l'étude des grands thèmes de la littérature. Chemin du Laboratoire, nous avons obtenu des A partout! Mention déshonorante.

L'été s'est passé dans l'écume, la bave aux lèvres. Chaque pierre que nous trouvions sur la grève était précieuse, brillante, magique. Une fois sorti du havre, tout comme les galets, Vincent garda la forme — un petit cœur, un pied, un os — mais non pas son éclat. «Loin des Îles, loin du corps...» répétait-il au début des cours. De fait, celui de notre amour perdit rapidement de sa valeur à la bourse.

De retour à Montréal, Vincent a fréquenté plus souvent le vieux port ou le cimetière Notre-Dame-des-Neiges que l'université. D'entrée de jeu, il s'est appliqué à échouer les tests et à renflouer tout seul le radeau de la passion que nous avions vécue, son exultation amoureuse. L'étrange condition de ces fiançailles perpétuelles était mon absence. Le vent des Îles l'avait rendu fou. Fou de tout. Sans moi.

En septembre, il jouait encore parfois au «chien sniffeur». À la mi-octobre, il s'est présenté à un cours sur Verlaine pour exiger du professeur qu'il corrige un sac de feuilles mortes, les plus colorées, trouvées sur le mont Royal. Fin novembre, il me suivit pour la première fois au cours de Mme Demers sur la musicalité en poésie. Après cinq minutes d'imitation de la pluie en crescendo, un stylo dans chaque main — clic et plic —, des étudiants exaspérés l'ont mis dehors en lui disant d'aller se faire soigner. Dehors! Il y passait déjà le plus clair de son temps. Le dernier semestre fut à l'avenant.

Même pas question de retourner aux Îles cet été pour voir si nous y sommes. Il ne me reste de distractions que le travail à la rôtisserie et l'attente de mon coq d'Inde pour voir si je ne l'ai pas rêvé. Peut-on imaginer de toutes pièces, faux plaisir après feinte caresse, mensonge par mensonge, la joie d'avoir été aimée, le bonheur d'avoir été bercée? Pour engourdir la mémoire du corps et ne pas absolument désespérer...

Petites, quand nous étions mal contentes ou maussades, maman nous disait en riant: «Si vous n'êtes pas contentes de ce qu'on a à vous offrir, les filles, inventez autre chose ou bien *léchez-vous...*» Ou encore, elle nous conseillait de manger une de nos mains et de garder l'autre pour le lendemain. Mais je préférais «léchez-vous», car le chat Chatouille trouvait là, de toute évidence, une large part de satisfaction. C'est décidé: je vais me trouver un chat et je l'appellerai Vincent. Un chat d'appartement.

Pour l'instant, je reprends un peu de café amer en regardant par la fenêtre l'une des rares journées de congé ensoleillées. Pas d'appel, les amis travaillent. Pas de courrier, les gens de lettres écrivent peu. Vincent passe quelques jours chez ses parents. Au bord de la rivière, il doit écrire d'autres poèmes dans lesquels il remplace la tendresse par des myosotis et la jouissance par des ailes de maubèche branle-queue. Fais-toi plaisir, mon gars... Je les lirai peut-être un de ces jours s'il finit par se souvenir de mon nom et de notre adresse. En attendant, je ramasse les comptes, les circulaires et je réponds à la porte lorsque quelqu'un sonne.

— Madame, voulez-vous m'acheter du chocolat? C'est pour notre chorale. On ramasse des fonds pour faire une belle sortie, un voyage en France.

— Comment t'appelles-tu?

— Martine. Martine Dalpé.

— Pour une belle sortie?

— Oui. Peut-être un voyage en France avec toute la chorale.

J'ai acheté tout ce qui restait de sa boîte et lui ai donné deux dollars de plus en la remerciant pour la bonne idée.

Une belle sortie! Elle riait aux éclats, la Martine, lorsqu'elle a renversé sa boîte vide sur la tête de son ami qui attendait au pied de l'escalier. Salut Alphonse! S'il y a moyen d'arrêter le temps, on doit pouvoir le convaincre assez facilement de certains aménagements pour les oiseaux rares, perdus ou peureux.

Sur le fil téléphonique, toujours la même hirondelle suspend son vol, attend l'heure propice. Les autres tournent encore autour pour lui faire des couloirs dans l'air, une belle sortie au milieu de l'été.

Vertiges

Et le temps coule, de rien je ne suis maître,
Perds le contrôle, perds la raison.
[...]
Perdu l'adresse de mon père,
Gagné la frontière où je suis
Et les trains filent jusqu'au bout de la terre,
Moi sur le quai, tout gris, assis.

FÉLIX LECLERC

Scène I

Désemparée et nauséeuse, elle est entrée au jardin du Luxembourg par la rue de Fleurus. Depuis la gare du Nord, elle a parcouru Paris, sac au dos, sans rien comprendre de l'orientation des rues ni de la sienne. Rendue au grand bassin devant le palais, au diable Vauvert, elle n'a ni le courage ni la force de monter les marches de la seconde terrasse pour sortir sur le boulevard Saint-Michel. Son vieux sac à dos de toile kaki déposé sur le gravier de l'allée, elle s'est laissée tomber entre les bras d'un fauteuil de métal. Mal au cœur. Les yeux posés sur le petit drapeau du Québec que le propriétaire avait cousu jadis au rabat principal du sac, elle ne voit ni les fleurs de lys, ni le bleu délavé, ni même où aller pour le retrouver. Des enfants autour du bassin, à sa gauche, poussent leurs voiliers indociles. Les cris qu'ils échappent dans l'air chargé de juillet la rendent subitement mélancolique. Elle se retient pour ne pas pleurer. Se dit que c'est le décalage, la fatigue et qu'elle doit au plus tôt trouver une chambre où récupérer. Que demain tout ira mieux.

Dix minutes encore pour se reprendre un peu. Ses bras minces et blancs du début de la vingtaine tremblent sur les accotoirs verts, récemment repeints. Dix minutes pour respirer à fond. Tenter de regarder sans s'affoler tout ce qui vit autour, voir la ville sans le brouillard de l'affolement devant les yeux. Observer les petits bateaux ivres des papillons de mai, les myosotis qui bordent la pelouse en demi-lune de chaque côté du bassin, ces enfants encore dans l'aller-retour amoureux des parents. Réciter du Rimbaud, les premiers poèmes, à voix basse. Faire l'inventaire en somme des petits comptoirs de la beauté. À travers ces motifs de l'espérance, elle s'applique à recomposer le visage de celui qu'elle cherche, à repérer tant bien que mal les pierres patientes que ce vieux Poucet en peine aurait pu échapper dans sa fuite.

Tout autour d'elle, chaque statue tend le bras droit dans une direction différente. Elle se sent à nouveau malade et laisse tomber la tête vers l'arrière, les yeux fermés. Vilain carrousel où elle aperçoit, sur un cheval noir, le corps nu et squelettique de sa mère mourante, la belle Hélène. Elle secoue la tête pour chasser cette image. Se dit que la beauté est un habit de cire. Le bonheur aussi.

Elle entrouvre les paupières pour chercher un objet où poser les yeux, les y fixer pour ne pas dériver. Un socle au centre de la demi-lune de gazon devant elle soutient une colonne qui fera l'affaire. D'autant que le tailloir, le plateau tout en haut de la colonne, ne porte pas de statue comme sa jumelle de l'autre côté du bassin, mais soutient plutôt un pigeon qui surveille mécaniquement les environs. Le soleil sur son dos entretient le gris-bleu phosphorescent des milliers de myosotis tout autour. La jeune femme imagine que le ramier connaît le nom de chacune des petites fleurs et ne les oublie jamais. Cette pensée la rassure, lui fait du bien.

Elle croit aussi, dans son extrême fatigue, que chaque bouquet est occupé à se souvenir du nom de Dieu et de Sa face aux Temps Premiers, lorsqu'Il avait laissé les fleurs au néant, sans nom, donc sans père, sans terre où pousser. Elle se demande si d'aussi petites fleurs peuvent être rancunières et sourit aussitôt à cette idée. Elle préfère croire que personne n'échappe longtemps à sa nature. Les vies qui sont en vie pour faire de la lumière, même oubliées, abandonnées, déçues, dépitées, n'arrivent jamais à faire beaucoup d'ombre. Elles sont tenaces parce qu'elles savent que le bonheur est possible, parce qu'elles s'en souviennent. C'est leur corps tout entier qui garde cette mémoire. Dans sa tête revient une chanson de Guy Béart que son père lui chantait quand, au moindre prétexte — un vieux chapeau retrouvé —, chaque jour était le plus beau jour de sa vie. Elle se sent mieux.

Du sommet de la colonne, au même instant, le pigeon s'envole et disparaît dans les ramures des platanes autour de la fontaine Médicis. La statue qui s'y tenait il y a longtemps s'est-elle aussi envolée de la même façon au diable Vauvert? Quel être humain dépossédé de la vie, exilé dans la pierre et sans cesse tourné vers un Palais inaccessible, a finalement décidé de plonger dans le vide? Il ne reste rien maintenant au sommet de la colonne, ni figure ni forme, pas même la feuille qui cachait le sexe ou le drap que les mains tenaient aux hanches. La jeune femme se dit qu'elle ne peut pas attendre jusqu'au soir que cet homme apparaisse quelque part autour du socle ou dans l'allée et qu'elle le reconnaisse. Sa tête tourne à nouveau. Il faut qu'elle trouve une chambre, qu'elle aille dormir. Elle ne peut plus attendre qu'il revienne pour chasser les oiseaux de malheur qui font semblant de faire de la lumière, volent la couleur des petits myosotis et disparaissent après avoir effacé jusqu'aux noms dans la pierre des monuments.

Elle retient ses larmes, se lève, reprend son sac et se précipite vers la fontaine Médicis. La ramée des platanes ne lui laisse pas voir ce qu'il faudrait de ciel. Silencieusement, appuyée sur les pierres humides, elle va pleurer, puis s'endormir sur un banc en rêvant d'un visage aimé, poursuivi depuis des années, et qui passe là, tout près d'elle, mais qu'elle n'aperçoit pas.

Scène II

«Vous êtes toutes les deux contre moi. D'accord?»

Devant l'Observatoire, un grand garçon vient de lancer un défi à ses jeunes compagnes de jeu. Les règles sont aussi simples que le jeu lui-même: il se sauve et les deux amies cherchent à le rattraper. Tous les enfants peuvent encore courir sur la pelouse du jardin Marco-Polo et c'est bonheur d'en profiter en ce dimanche de mai. Mais le jeu est injuste, les dés sont pipés: les deux amies invitées à courir sont toutes les deux beaucoup trop petites pour espérer toucher le garçon qui les y invite. Elles ne se rendent pas compte de la folie du projet ni du malin plaisir de la proie. Enthousiastes, les petites filles ne retiennent que l'intérêt du grand garçon pour elles. Avant le signal du début de la poursuite, elles sautillent et chantent à tue-tête le plaisir d'être invitées par un grand qui pourrait facilement trouver plus loin des amis de son âge. Les parents les laissent s'amuser sans intervenir. Il n'y a pas de gardien, pas de képi, pas d'interdiction, et les fleurs de ce dimanche ne se sentent pas menacées par la grisaille du lundi. Rien sous le soleil n'empêche l'eau de l'immense fontaine de tenir son plain-chant.

«À trois, je me sauve et vous partez à ma poursuite!»

À trois! Et ça crie, et ça sautille de plaisir; à deux contre un, on aura tôt fait de le toucher, de fermer le filet dessus, d'être aussi grandes que le plus grand... Mais le garçon maintient à sa guise la distance qu'il ajuste entre lui et les petites jambes qui le poursuivent. Puis, celle qui porte des collants roses, la plus jeune, s'arrête parce qu'elle commence à trouver que ça va bien faire, qu'il ne leur donne pas de chance. Elle se met à pleurnicher. Alors, le garçon se rapproche d'elle un peu, tentation immobile, à portée presque des bras graciles. Au moment où elle bondit et croit mettre la main dessus, il baisse l'épaule brusquement et s'esquive en riant.

Même séquence trois fois avec des variantes de bouderie et des pirouettes de plus en plus frustrantes. La petite fille finit par comprendre que c'est peine perdue et, accroupie au milieu de l'allée, sanglote en s'essuyant les yeux avec ses minuscules poings fermés.

L'aînée s'entête encore quelques secondes, dents serrées, comme pour tenter de venger l'honneur de sa jeune sœur. En robe jaune, soleil léger à minces bretelles sur les épaules, au moment où elle va fermer les bras autour du cou du garçon incliné pour une autre esquive, elle trébuche sur la bordure de métal et s'érafle le genou droit dans les cailloux de l'allée.

Les deux petites sœurs se mettent à hurler de concert. Dans la tête de chacune, simultanément, vient d'apparaître le visage du vide, tout en trous osseux et sombres, le profil de tous les amours perdus d'avance. Avec autour, comme un halo sinistre, le plaisir brumeux des cœurs qui en vivent. Leur plaisir ou, plus souvent, la folie où ils s'enferment, tristesse entretenue. Dans la tête de chacune, la dérisoire confrontation du désir et de la longueur des jambes.

À cet instant, chaque papa et chaque maman lève les yeux vers le lieu des larmes. Ce qu'ils voient n'étonne personne: une petite fille assise sur la terre graveleuse crie à fendre l'âme en se tenant les genoux, et sa petite sœur, à deux pas d'elle, tête renversée, pleure en répétant que ce n'est pas juste, que Jean-Christophe ne sait pas faire comme il faut. Alors, le Jean-Christophe se rapproche de celle qui s'est blessée et lui promet qu'il va lui donner toutes les chances du monde, qu'il va se laisser toucher.

— C'est vrai. Je commence à être essoufflé. Tiens! tu peux m'attraper tout de suite. Je n'ai plus la force de bouger. Toi aussi, Maude. Si tu veux. Comme ça, vous aurez gagné toutes les deux. Je vous le dis, j'allais tomber!

Les parents dépareillés ne disent rien. Ils voient les petites filles redresser la tête et adresser un regard au garçon, s'interroger sur son sérieux.

Personne n'interviendra. Les conversations reprendront sur les bancs fréquentés d'un dimanche à l'autre. Échanges en chassés-croisés de finesses et de séduction sur un sujet d'actualité, un gros titre à la une en espérant que l'autre comprenne sa petite annonce.

— On recommence. À trois, vous partez. Cette fois, c'est vrai, vous allez réussir à me prendre. Je vais me laisser toucher.

Chaque papa et chaque maman baisse la tête en se demandant où l'autre en était déjà. Avant de poursuivre...

Scène III

Dans sa dérive d'avant le sommeil, le cœur barbouillé, Madeleine s'est arrêtée devant une femme assise en tailleur sur une dalle de ciment. Visiblement fragile sous son châle et ses jupes superposées, tête inclinée, elle allaite un bébé. Hors saison, hors jeu, hors taxes, quelques francs dans la main gauche tendue, la maman fredonne une chanson que seule, apparemment, Madeleine entend. Ce n'est pas une langue qu'elle connaît mais c'est de l'humain. Elle se demande d'ailleurs ce qu'elle pourrait comprendre des mots ou de la voix des fantômes qu'elle poursuit depuis tant d'années: sa mère, la nuit, dans les déchirures du cauchemar, et son père, toujours, en rêve, en fuite dans son vieux pays.

Derrière la palissade où s'appuie l'étrangère, on aménage un parking souterrain pour l'instant à ciel ouvert. Devant elle, dans le bruit poussiéreux que le soleil cuit, les touristes comme de la lave roulent des

Tuileries à la pyramide rutilante. La plupart des passants, caméra sur les fressures, font semblant de ne pas voir la mère, ni l'enfant, ni la main tendue, ni surtout le sein offert. Ils promènent leur regard sur tout le reste en se demandant si la Joconde a encore ses ardeurs.

Madeleine s'est arrêtée devant la mère. Sans réfléchir à son geste, pour la simple raison que son sac, soudainement, pesait bien trop lourd, elle s'est accroupie pour relever délicatement, un doigt sous son menton, la tête inclinée de la femme au visage à moitié caché.

Sans s'affoler, très lentement, la maman découvre un peu sa figure pour voir qui la sort ainsi de sa chanson ou de son rôle. Ce qu'elle voit dans les yeux de Madeleine ne la blesse pas, ne la gêne pas non plus. Elle reprend doucement dans sa main droite le sein gonflé, veiné, un sein généreux de femme faite que le nourrisson avait échappé. Aussitôt, il recommence à téter pendant que tout autour la foule piétine le gravier avec l'intention de se rendre aux bassins rafraîchissants de la cour.

Maintenant soutenue, maintenue à la nuque par la mère, la tête apparaît plus petite. Sur le crâne presque chauve, il y a des veines semblables à celles qui raient le sein qui le comble.

En regardant de près, on y perçoit les pulsations du cœur, l'effort du sang sur les parois. Madeleine se demande si l'enfant tire le lait en suivant le même rythme. Elle sait qu'elle ne doit pas entretenir trop longtemps cette pensée, qu'elle a peur du sang jusque dans les lettres du mot, jusque dans son idée. Surgit toujours au bout d'un moment la figure pâle d'une enfant qui lui ressemble et qui sent quelque chose de chaud couler de sa tempe jusqu'à sa joue droite. Il ne faut pas qu'elle pense à cela. Si elle ferme les yeux et se laisse aller, elle entendra sa petite sœur hurler et son cœur battre comme s'il voulait pousser toute la vie hors de son corps.

Mais Madeleine n'arrive pas à quitter des yeux les petits vaisseaux bleus sur le crâne de l'enfant. La mère voit bien qu'elle va pleurer et ne sait plus quel enfant appuyer sur son sein. Elle fait de la tête un petit signe d'impuissance et se demande pourquoi le visage est si pâle entre les beaux cheveux noirs. Elle fait aussi glisser sur ses jupes les quelques francs pour toucher de la main gauche la cuisse de Madeleine, toujours agenouillée près d'elle. À travers le jeans, elle sent tout le corps trembler, toute la fièvre et la peur de celle qui observe son enfant en y retrouvant une étrange et lointaine peine. À son tour, la maman ramène doucement vers elle le visage de Madeleine et caresse du bout des doigts les lèvres si bien découpées, celle du haut surtout qui en son milieu invite à descendre jusqu'à la bouche. Un rien du cœur découpé dans le charnu de la pulpe. Chacune en son exil sait qu'il y a trop d'enfants pour ce qu'il reste de mères.

Avant de se relever, Madeleine a tiré d'une poche latérale de son sac un chapeau de coton blanc qu'elle dispose avec beaucoup de précautions sur le crâne du bébé. Il est démesuré par rapport à la tête du bébé, mais elle montre du doigt le soleil au zénith et joint ensuite les mains en regardant la maman. Celle-ci acquiesce d'un signe de tête et sourit faiblement en clignant des yeux. Madeleine l'embrasse sur la joue, se lève et ne passe que le bras droit dans les bretelles du sac à dos.

S'éloignant à reculons, elle bouscule quelques bariolés qui lui disent en allemand ou en anglais de regarder où elle va. Elle répond que c'est en effet une très bonne idée, mais qu'ils ne savent pas de quoi ils parlent. Du même souffle, elle leur demande des nouvelles de leur sœur en plaçant un dérivé du mot *fuck* juste avant le mot *sister*. Puis elle éclate de rire en pensant à la sienne, la rebelle Geneviève, spécialiste du bras d'honneur ou du majeur semblable à celui qu'elle lève devant

les touristes choqués. Avant de regagner la rue de Rivoli,
elle se tourne une dernière fois vers la mère toujours
appuyée à la palissade, sous la lumière crue du gros
soleil. L'enfant a échappé le sein qui bouge un peu
quand sa maman salue, cette fois franchement, Madeleine qui n'a pas cessé de sourire, au bord des larmes.

À deux pas d'elles, il y a des kiosques à journaux,
des montagnes de revues où les gens s'arrêtent afin
d'avoir des nouvelles du monde et des photos en couleurs pour ne pas avoir à l'imaginer. Madeleine, les cils
encore mouillés, passe devant les étals et remarque les
annonces à la hauteur des yeux, bien à la vue sur deux
ou trois rangées pour toutes les tailles. Des enfilades de
seins fermes, sans aucune veine à la surface, dont une
main mince souligne le galbe et le plaisir offert pour à
peine trente francs. On peut y lire que «Stéphanie fait
des aveux surprenants». Pour trente francs. Madeleine
fait mentalement la conversion. Mais de l'argent seulement...

Pour le reste, elle pense encore à sa sœur qui ne
dérage pas depuis l'enfance, à sa maman dont on a gratté
les seins jusqu'à l'os et qui revient encore la nuit, longtemps après avoir cessé de respirer. Elle songe aussi à celles qui allaitent leur bébé, assises sur le trottoir, dans la
poussière soulevée par les pieds qui les évitent. Sur la
fontanelle, les vaisseaux des nourrissons se soulèvent
régulièrement. Il fait trop chaud. C'est inévitable. Le
regard de Madeleine s'embrouille à nouveau. Elle s'appuie sur une auto et entend aussitôt un drôle de bruit
sous le toit de tôle. Elle se penche pour poser par terre
son sac et remarque un tout petit chien sur la banquette
arrière. Un pékinois sans cordes vocales dans la ville hurlante, toutou aphone qui émet ce sifflement strident des
hochets en caoutchouc lorsqu'on les écrase sous le pied.

Scène IV

Derrière la statue de saint Théophile qui a vendu son âme au diable selon la formule achat/rachat, un homme arrête brusquement de marcher, de suivre le mouvement de la foule. Au beau milieu des fidèles qui lèvent le nez aux ogives et posent les pieds sur Paul Claudel, il se retourne vers le chœur, devant la statue de saint Denis, puis se laisse soudainement tomber à genoux sur les dalles, de tout son poids. Les touristes bariolés l'entendent distraitement chuchoter un début de prière: «Je vous salue, Marie, pleine de grâce...»

Le ton a ceci de particulier que les mots du murmure se distinguent clairement dans l'immense rumeur des voix qui traversent la nef de Notre-Dame. On dirait que sa prière passe entre les bruits ou se place au-dessus, un peu comme le timbre de ces enfants qui veulent parler tout bas et s'y appliquent si fort que ce qu'ils susurrent à l'oreille de leur maîtresse est reçu cinq sur cinq jusqu'à la classe voisine. «... le Seigneur est avec vous...» L'homme prie, c'est certain, avec beaucoup de ferveur.

Il porte un pardessus brun de belle qualité qui s'ouvre sur veste et cravate lorsqu'il étend les bras en croix. Les gens qui l'ont vu tomber devant eux et qui ont lentement poursuivi leur visite sans trop vouloir l'observer se sont pourtant tournés un instant vers lui lorsqu'il a haussé le ton pour entreprendre la même prière, mais cette fois en latin. «*Ave Maria gratia plena...*» Ce qui a attiré leur attention ne tient pas tant au fait que l'homme ait haussé la voix, mais plutôt qu'elle tremblait curieusement quand il a ajouté, à la fin de son oraison, une sourde exhortation afin que Dieu ait pitié «de tous ces pauvres gens». Les fidèles et les visiteurs qui ne l'ont pas vu désigner des deux mains la foule autour de lui ont tout de même frémi à l'intonation de sa voix.

Plusieurs touristes, parmi les plus près de lui, se sont immobilisés lorsqu'il a considérablement parlé plus fort pour reprendre la même prière en italien. « *Ave Maria, piena di grazia, il Signore è teco...* » Quelque chose d'étrange et d'inquiétant dans les gestes, les yeux et la figure en grimaces de celui qui prie a transformé la curiosité des témoins en embarras. Au moment où l'homme se tourne vers l'autel du transept en gesticulant comme s'il sortait d'un mystère, la plupart des visiteurs autour ne savent plus où regarder. Certains prennent des photos, mais leurs mains tremblent un peu sur l'appareil lorsque l'inconnu, à la fin de sa prière, revient à nouveau au français pour exhorter Dieu «d'avoir pitié de ces malheureux, de tous ces pauvres gens» qu'il désigne d'ailleurs d'un geste solennel. Il a crié très fort de sorte que chaque curieux, chaque fidèle se sent interpellé. Dans la foule qui grossit autour de lui, chacun a l'impression d'être regardé dans les yeux, menacé.

Pourtant, au moment où la voix monte encore d'un ton et entreprend de parler à la Vierge en allemand, une religieuse s'est approchée, main tendue vers l'épaule de celui qui est toujours agenouillé, concentré sur sa prière. «*GegrüBet seist du, Maria, voll der Gnade, der Herr ist mit dir.*» Juste avant de toucher la gabardine, elle a dû reculer pour éviter le moulinet des bras de l'illuminé. Reprenant sans cesse la même formule, mais en criant à tue-tête «Mon Dieu! Mon Dieu! Ayez pitié de ces pauvres gens!», le dément agrandit le cercle des fidèles et des visiteurs. Les curieux s'entassent si nombreux autour de lui que ceux qui en sont épouvantés et qui voudraient sortir ne peuvent plus s'éloigner.

Un peu en retrait sous la grande rose du portail du Cloître, une jeune femme, toute frêle, se demande si la nef d'une si grande cathédrale peut s'incliner et sombrer, s'enfoncer dans la terre. Elle le souhaite un instant très fort et se dit que son sac est si lourd sur son dos, la vie si tassée dans les têtes, que cela ne manquera pas d'arriver. Dans sa grande fatigue et son égarement de tête chercheuse, elle entend l'homme hurler comme les autres: «AYEZ PITIÉ DE TOUS CES PAUVRES GENS!»

La voix, singulièrement puissante et bien appuyée, emplit le chœur et pousse sur toutes les colonnes, du déambulatoire jusqu'au portail du Jugement Dernier. C'est en anglais que le fou furieux s'adresse à la Vierge au moment où la jeune femme se dit qu'il pourrait être celui qu'elle est venue chercher ici, son père en peine à perpétuité, un homme enfoui dans la folie qu'il a cultivée. Alors, elle ne veut plus que le bateau chavire. Elle pense aux petits bonheurs érodés de l'enfance, aux contes où tous les Poucet retrouvaient leur chemin, elle revoit les bras de sa mère, exsangues, autour de ses épaules. Elle songe aussi à quelques lettres d'amour anonymes qu'elle connaît par cœur. C'est dans sa tête seulement que le vaisseau tangue. La terre est ferme sous ses pieds, sous les pierres. Il faut continuer, poursuivre la course, ne pas désespérer.

Elle pousse la foule, rangée par rangée, les couches de voyeurs à la fois effrayés et attirés par l'adjuration de cet homme qui, debout maintenant sur les marches de l'autel, prend à témoin la Vierge à l'Enfant. La jeune femme veut s'approcher de lui en espérant retrouver les yeux, la bouche, le visage mince qu'elle a connus les soirs de flanelle dans la petite maison d'où on entendait la rivière chanter le mitan du lit. Le possédé qui s'égosille à prier maintenant en anglais et que la foule lui cache toujours est peut-être celui qui répétait chaque soir, en lui mangeant la peau du ventre, que même son prénom était comestible.

Malgré le vertige, Madeleine s'avance comme entre ses souvenirs... À dix ou douze pas d'elle, ce n'est qu'un inconnu, un fou furieux qui gesticule en tentant de se défaire de ceux qui l'ont saisi aux coudes et aux épaules. Lorsqu'il se laisse tomber à nouveau, un suisse le prend par les chevilles et demande de l'aide. Quelqu'un parle d'un diable dans l'eau bénite et fait rire une partie des curieux autour. La voix de l'homme pourtant s'élève à nouveau au-dessus de ceux qui le bousculent et entreprennent de l'expulser. Il demande toujours à Dieu d'avoir pitié des gens et à la Vierge de prier pour ces pauvres pécheurs. Il parle d'enfance et de cartes de crédit, de prières précieuses et de communion, de sang sur les mains et de désolation. Sa voix se brise, se perd comme on le traîne de l'autre côté, vers la sacristie.

La jeune femme s'est assise sur une des chaises étroites aux fonds tressés. Elle n'a reconnu ni les yeux, ni la bouche, ni rien de ce qui pourrait demeurer du visage qu'elle n'a pas vu depuis treize ans. C'est elle maintenant qui a le goût de prier à haute voix, de demander grâce ou pitié, de trouver tout de suite une gare, un quai, de brûler tous les souvenirs qui lui font poursuivre un fantôme, une chimère qui l'a trop bercée. Avant de se relever, elle tourne la tête vers la grande rose du portail du Cloître. Autour d'elle, dans le plomb des vitraux, n'apparaissent que des visages de tourmenteurs. De toutes les prières récitées, il ne reste que l'usure des pas sur le dallage. Quelqu'un prend une photo où elle figurera, hagarde. Ses yeux brûlent. Malgré le feu, le sel sur ses paupières, elle se met à fixer les pierres sous ses pieds. En regardant bien, en scrutant chaque dalle, elle finira par retrouver des petites boules de mie de pain ou des pierres blanches. Son chemin. Point zéro des routes de France. Rendue, elle ne sait plus où aller. Il lui faut partir avant de se perdre, avant que la nuit s'installe pour de bon sous les voussures jusque dans sa tête.

Scène V

La liseuse ne lèverait plus jamais la tête. Ses yeux apparemment fixés sur une ligne, invisible rangée de mots, n'en décolleraient plus. C'est ce qui apparut tout de suite à la visiteuse épuisée, ce qu'elle éprouva brutalement en entrant dans une salle consacrée en partie à Fantin-Latour. Promenant au hasard ses pas trop lourds, elle ne cherchait qu'à s'apaiser, à retrouver son regard habituel sur la réalité, à fuir surtout l'angoisse qui la nouait, l'étouffait partout dans Paris dont elle découvrait chaque scène comme à l'extrême limite de sa résistance. Envie de vomir sans cesse depuis qu'elle était montée dans le R.E.R. Aucun point d'appui dans son vertige. Au contraire, tout ce qui parvenait à ses sens semblait creuser le sol sous ses pieds.

En sortant du jardin du Luxembourg vers la rue de Fleurus, après avoir décidé de revenir sur ses pas en direction de la Seine, la jeune femme avait observé des enfants radieux, montés sur des poneys. Dans une charrette, quatre ou cinq d'entre eux pépiaient de bonheur dans ce dimanche de tilleuls odorants. L'un deux, voix nerveuse perchée au-dessus de celle des autres, répétait «Salut, Lazman! Salut, Lazman! Salut, Lazman!» en ajoutant tout excité: «Moi, je dis Lazman parce que ce n'est pas mon papa...» Profitant d'une pause où il reprenait son souffle, sa voisine, détachant bien chaque syllabe, lui répondit: «Moi, je dis *papa* parce que *c'est mon père.*»

Elle avait au même instant lâché la main du petit garçon.

Madeleine s'était dit alors que la fidélité des regards fixés sur les toiles et le calme des salles à remonter le temps lui rendraient l'air à nouveau respirable, peut-être aussi la force de poursuivre avant de céder au sommeil. Le boulevard Raspail et la rue du Bac l'avaient menée au musée d'Orsay.

Son sac déposé à la consigne, elle s'assit dans l'un des six fauteuils de rotin placés dos à dos au centre de cette salle du rez-de-chaussée où le hasard l'avait guidée. *La liseuse*, sur la droite en entrant, avait arrêté son regard. Tout le tableau du jeune Fantin-Latour lui parvint comme enveloppé dans une étrange musique. Le doux visage de sa sœur qu'il avait peint en liseuse apparaissait comme dans une brume dormante et lumineuse. Madeleine se dit que la grisaille pouvait multiplier l'intensité de chaque impression et cette évidence la réjouit profondément. L'émouvante beauté de la liseuse et la ressemblance avec sa propre sœur Geneviève l'amenèrent, tirée de l'épuisement, à scruter chaque détail du tableau.

Navette folle des yeux entre le velours si vivant du canapé et la petite table basse où un autre livre attend les mains qui le ramèneront à la vie... Cherchant à déchiffrer le titre, la visiteuse se rapprocha de la toile; elle songea à la peine du père Hugo après la disparition de sa fille, puis à Rimbaud qui marchera comme un fou pour fuir les éclats tranchants des mots et peut-être, lui aussi, retrouver son père. Elle et sa sœur en connaissaient plusieurs textes par cœur. Geneviève cependant les avait tous retenus d'*Une saison en enfer* plutôt que des premiers poèmes. Elle disait ne plus se souvenir d'aucun «soir bleu d'été»...

Revenue dans le fauteuil de rotin, Madeleine se demanda quels liens secrets attachaient Rimbaud le piéton à sa sœur Isabelle. Yeux fermés, elle pensa à Geneviève qui ne tenait pas en place et voulait à tout prix venir avec elle en France. Mais ce que sa sœur voulait tuer, elle, même au bout de ses forces, tenait à le soustraire au malheur, à le bercer à son tour, dissipant le cauchemar une fois pour toutes. À Mirabel, Geneviève lui avait souhaité bonne chance, mordant aussitôt ses lèvres au sang pour les empêcher de trembler.

Madeleine ouvrit les yeux pour superposer sur cette image de jeune femme exaspérée celle de la liseuse, mais c'est plutôt le livre ouvert comme des ailes entre ses mains qui attira son attention. Toutes blanches, les pages lui apparurent comme l'image inversée du col qui séparait le noir de la robe de la roseur du cou. La main gauche, bien visible dessous, ne briserait plus jamais le silence avec ce doux froissement des oiseaux de papier que la lecture libère en tournant chaque feuille.

Mais ce ne sont pas tant aux mots secrets du livre que Madeleine aimerait communier comme au mystérieux envoûtement du tableau. Un présent étrange et familier. Elle espère par là apprivoiser, adoucir tout ce qui lui saute aux yeux et l'effraie depuis son arrivée à Paris. Saisir le mystère des traits, des formes qui enferment vivants les bonheurs ou les peines, les détresses ou les douceurs, comprendre enfin ce qui s'imprime dans sa tête en les recevant, lire les couleurs, les figures, toutes les apparences; se retrouver en pays connu dans chaque scène où la vie nous plonge.

Elle se souvient de la voix de sa mère qui répétait souvent que la vie était un grand livre dans lequel tout le monde pouvait écrire. Comme elle le faisait dans son enfance, elle s'applique à croire qu'elle participe à un jeu d'écriture où il suffit d'imaginer l'histoire, la fin heureuse désirée, le tableau qu'on veut voir...

En premier lieu, même si la brève présentation de la peinture indique aux passants qu'il s'agit de la sœur de l'artiste, Madeleine décide qu'il faut plutôt y voir la sœur de l'observatrice et qu'on aurait dû présenter l'œuvre de cette façon: Fantin-Latour, 1861, *La liseuse* (la sœur de qui la regarde). Selon le principe de «celui qui le dit c'est celui qui l'est...» Sourire de la visiteuse qui la ramène un moment à son état naturel et lui confirme la douceur des traits de sa sœur Geneviève sur le visage apparemment fermé de la liseuse.

Toute la figure est tenue inclinée sur le livre ouvert et le rosé de la joue droite met en lumière la subtile volupté de la jeune femme ou du regard posé sur elle. Les lèvres sensuelles sont tirées comme si le dépit et la solitude les avaient fermées, scellées. Elle ressemble de plus en plus à Geneviève qu'elle imagine dans son appartement de Montréal, les poèmes de Rimbaud entre les mains. Le front et son étrange brouillard appartiennent à ce qu'elle emprunte sans cesse au livre qu'elle ne relit pas vraiment mais garde devant ses yeux comme un rappel à la rage. Quel est l'équivalent de Cendrillon qui joue volontairement dans les cendres pour se faire une mère de suie, un ventre chaud, quand c'est le père qui est parti d'abord, broyant tout le bonheur avec lui?

Le papier des feuilles est gonflé d'avoir été souvent mouillé du doigt et tourné, retourné des nuits entières. Combien de fois Madeleine a-t-elle vu les yeux de sa sœur fermés au-dessus d'un poème de Rimbaud? Mauvais sang. Quelle est cette «ardente patience» qui tient toute une vie fixée sur un seul mot? Pourquoi «heureux comme avec une femme» alors que c'est le père qui manque?

Afin que l'histoire tourne bien, elle imagine que la liseuse arrive à faire le vide et cesse de se revoir dans le passé. L'inquiétante beauté des traits devient alors radieuse sous les cheveux châtains. Dans la trompeuse fixité du tableau, le visage, le col de la robe et le livre grand ouvert tracent lentement un demi-cercle qui éclaire comme la pleine lune et donne douceur à la nuit du corsage.

Souvenir d'enfance: les mots d'un conte font office de veilleuse pour la nuit, un papa se lève et sort de la chambre sur la pointe des pieds en croyant ses filles endormies. De la tendresse en barbotine pour faire tenir un trou de serrure sur l'immense porte du rêve.

La visiteuse maintenant, reprisant le bonheur, tient les yeux à demi fermés sur ces images qu'elle anime, paupières frémissantes. Elle se demande si Geneviève, dans son petit logis maussade de la rue Saint-André, trouve simultanément à ce jeu l'aplomb et la paix qui lui reviennent, à elle, à cet instant. Plutôt que noir sur blanc, le bonheur se lit en inversé. Le tableau de Fantin-Latour est tenu dans l'air par deux colombes.

Quelques minutes encore, Madeleine se laisse emporter par les évidences, les lieux et les visages communs. En haut à droite de la toile, il y a un tableau sommairement reproduit, côté sombre, côté clair; la partie sombre touche presque la tête de la liseuse et donne l'impression de vouloir s'accrocher au noir du bandeau, la partie claire, motif aussi insaisissable, appuie son cadre feint sur le cadre plein de la toile tendue au mur du musée. Respiration profonde, enfin calme.

Comme elle va se lever, apaisée par ce visage devenu intime dans le velours et la musique du tableau, un homme s'approche de Madeleine et lui demande dans un anglais pâteux s'il peut occuper le fauteuil à sa gauche. Sans attendre la réponse, il se laisse tomber dans le rotin en rotant, sortant de leur méditation les trois dames assises dos à lui et à la jeune femme.

Ses souliers de cuir brun semblent l'avoir traîné jusque-là et Madeleine remarque ses lacets défaits enfilés de chaque côté de la chaussette ravalée. Elle reçoit tout à coup l'image de son père ivre mort, assis en tailleur, et qui fouille avec une application grotesque entre la chaussette et l'empeigne de son soulier pour en retirer le riz qu'il a renversé du plat où il tentait de se servir. Sa mère avait insisté pour qu'il participe au pique-nique annuel de la famille chez sa sœur de Saint-Hilaire. Madeleine se souvient de la voix brisée de son père, diction laborieuse, insistant sur l'évidence qu'il n'était pas dans son assiette. Il venait de perdre son emploi et s'apprêtait à perdre toute la famille.

Le souvenir est cruel et la jeune femme, à nouveau affalée dans le fauteuil, referme les yeux; elle refuse cette fois de superposer les visages, de substituer celui du gros dégoûtant assis près d'elle à celui de son père Michel. Ses chaussettes blanches tiennent mal sur le mollet trop fort et gélatineux. Il y a chez cet homme une volonté de laideur montrée avec ostentation dans ces lieux où attendent en silence les beautés du monde. Deux bandes bleu pâle font des vaguelettes en haut de la chaussette ravalée. Le short vert lime fluo, singulièrement trop grand pour l'hippopotame, s'accorde avec la voix amère qui jure après la chaleur et l'étroitesse des sièges. Le vert forêt de son tee-shirt étriqué devient violet là il où transpire, découpant chacun des bourrelets de graisse.

Sans regarder personne autour de lui, l'homme grogne en anglais qu'il a faim et qu'il espérait trouver un Burger King dans les environs. Un geste amorcé de manière à désigner les tableaux de la salle s'élargit en moulinet sur tout le musée, puis se termine par un bras d'honneur.

— *Shit, it's the hell when you have money and have to do as if you like all that crap. Just for standing, you know, to tell friends, back home, that you have seen Monet and Van Gogh and all these fishes and fuck'in potatoes on poor tables. Jesus Christ, I'm tired, young girl.*

Et l'inconnu se laisse glisser davantage le long du siège, grosse légume habillée en poivrot, pour appuyer sa nuque sur le dossier d'osier, tête inclinée vers Madeleine. Deux secondes plus tard, il ronfle ou fait semblant de passer bruyamment de l'ennui au sommeil en attendant sa femme qui promène parfum et bijoux au nez de Rosa Bonheur ou devant *Un coin de table.*

Madeleine, la tête entre les mains, est envahie par une immense lassitude avec des vagues de haut-le-cœur. Elle pense à sa tante Denise qui avait accroché aux murs de la salle à manger des reproductions de Cézanne «pour avoir l'air moins niaiseux et plus gérant, hein Gérard?» et en profiter pendant les Fêtes pour rappeler à la parenté qu'ils avaient voyagé plus que le commun et qu'ils connaissaient au moins six Holiday Inn en pays étrangers. Et Gérard, chaque Noël, croyait faire rire les neveux et nièces en disant que sa femme l'avait écœuré avec le Louvre et ses vieilleries, mais qu'il s'était repris sur les plages de la Côte d'Azur avec les plus beaux petits tétons du monde qui sautillent à faire bander les statues aux petits zizis quand les poulettes courent à la mer en criant pour qu'on lève la tête en premier.

L'oncle aussi transpirait beaucoup lorsqu'il recevait la famille Kérouack au pique-nique annuel du mois d'août et qu'il buvait comme un trou. À nouveau nauséeuse, Madeleine retrouve brutalement ses étourdissements de femme perdue, dépaysée, apeurée du décalage entre ce qu'elle cherche et ce qu'elle voit partout autour d'elle depuis son arrivée à la gare du Nord. L'émouvante liseuse de Fantin-Latour l'avait rassérénée, mais ses yeux s'embrouillent maintenant et seul le grenat du velours flotte devant.

L'homme à côté d'elle coulait de plus en plus dans son fauteuil de rotin et toute la cuisse dépassait du fond. On aurait dit que l'adipeux ne restait accroché que par l'élastique de la taille au bord du siège. Les visiteurs se retournaient devant, parfois choqués, parfois tout rire. Ils voyaient le scrotum et la verge tassés sur la droite, coincés dans le short trop tendu à l'aine. Une petite voix dans la tête de Madeleine lui suggéra que le short était le seul qui pouvait craquer pour la chose. L'équivoque ne la fit pas sourire.

Au moment où elle va se relever, difficilement repartir pour trouver où dormir, où pleurer sous l'eau d'une douche, une jeune fille, à peine dix-huit ans, s'arrête presque devant elle, entre *La liseuse* et l'homme avachi. Elle touche nerveusement l'épaule de ce dernier pour le sortir de son gargouillis et lui demander s'il n'avait pas trouvé un portefeuille dans le fauteuil en s'y assoyant. L'homme grogne quelques niaiseries, mais reste bien enfoncé dans son short.

Alors, Madeleine se lève lentement et se met à lui donner avec beaucoup d'application des coups de pied dans les tibias en criant de soulever son cul du siège. La jeune inconnue, à bout de nerfs aussi, se met à pleurer pendant que le gros essaie tant bien que mal d'éviter les coups en traitant les deux filles de folles.

Madeleine prend l'autre par le bras et, après avoir jeté un coup d'œil sur le siège voisin enfin libéré, l'entraîne vers la sortie. Devant la librairie du musée, elle sort son petit porte-monnaie pour donner quelques billets à l'inconnue qui ne comprend rien à ce qui vient de se passer et refuse d'accepter. Madeleine insiste en lui disant que cela, de fait, la soulage. Elle n'a besoin que d'une chambre au plus tôt pour dormir, dormir avant de refermer son billet ouvert de France Rail sur une réservation vers Brest depuis la gare Montparnasse. Tremblante, elle songe à sa sœur Geneviève à qui elle parlera de *La liseuse* une fois l'enliseur retrouvé. Geneviève, pour qui il reste de moins en moins de jeu dans les mots, de moins en moins d'espace devant ses pieds pour lui permettre d'avancer.

Scène VI

DENFERT-ROCHEREAU

On dirait que ses yeux emplissent tout l'espace.

Ils tassent les passagers du dernier métro sur leurs sièges gravés de croix de culs de mots.

Dans la rame qui court de Nation à l'Étoile, des yeux clouent chaque corps au plus près de ses os. On dirait un cormoran immense et figé, sur son rocher au milieu de la nuit glacée. Oiseau de malheur sur les réclames heureuses.

Et pourtant ce n'est qu'un homme osseux et vidé qui garde les yeux ouverts sans jamais ciller. Il grommelle des sons qu'aucun des voyageurs ne parvient à saisir dans cette étrange rage.

Et toujours sans cesser de s'adresser au vide, l'homme hausse le ton dans un crescendo sinistre qu'il étire avec les veines gonflées du cou; visage cramoisi, il étouffe, il est fou.

Son hurlement crisse sur le métal des murs, résonne pointu dans la boîte hermétique où trois personnes prient pour qu'il sorte à Glacière. Alors qu'il s'y met à sourire, dents pourries...

Puis ses yeux se posent sur un genou de femme, vers lequel en riant il avance la main. Quand, effrayée, elle veut sortir à Saint-Jacques, le furieux se place en travers de son chemin. Bras en croix dans la réalité virtuelle, il tire de sa gorge un rire démentiel.

Les témoins blêmes sortent de leur torpeur pour briser le cauchemar et l'aliéné. Quand la rame s'arrête et que les trois basculent, l'homme s'évanouit à Denfert-Rochereau.

Il faut tenir ensuite la nuit par la main.

Atermoiement

Mais rien n'est pire que d'assister en cette vie à la mort de ton propre père humain Pop, quand tu comprends vraiment et à fond la phrase «Père, père, pourquoi m'as-tu abandonné?»

JACK KEROUAC

Seuls dans le carré, ils sont assis dans ce train qui a quitté Brest au début de l'après-midi et qui rentre sur Paris pour dix-huit heures. L'homme qui occupe la place 42 de la voiture 16 se demande cependant où il s'arrêtera. Assis côté couloir, il fixe, sur la vitre de la fenêtre où tout fuit, le profil en reflet du visage qui l'enivre depuis dix jours, depuis toujours tellement c'est lui qu'il s'attendait à revoir au bout de chaque rêve. Un amour en fusion qu'il appellerait mon enfant, ma douceur, ma femme. Il n'arrive plus à poser les yeux ailleurs et s'applique à disposer dans sa gorge, en rangs serrés, des sacs de sable pour empêcher son cri de déferler, la lame d'arriver à Montparnasse bien avant le T.G.V. Au mitan de sa vie, cet homme, éperdu, se laisse envahir par l'apaisante beauté de la jeune femme assise devant lui, côté fenêtre, et refuse d'entendre qu'elle répond au nom de sa fille. Terrible vérité dont il doute tellement le temps l'a changée. Il voudrait tout reprendre avec elle, la faire monter à nouveau dans sa vie et tenir sa main en silence.

Immobiles et en mouvement, c'est là toute l'histoire, ils sont assis dans un train conduit par une mémoire morte sans serre-freins, voiture de tête emballée, et qui roule sur des rails en feu. Un train si bien isolé cependant que l'homme y entend le chuchotis du sang dans ses tempes. L'épouvante accrochée aux souvenirs tenaces... La voix de la jeune femme et ses mots qui vont toujours au cœur ramènent, par d'étranges biais parfois, la paix dans la tête autrement affolée de son compagnon de voyage.

Ainsi, séparant bien chaque syllabe, elle lui demande s'il connaît l'origine du mot «a-ter-moie-ment», à quelle famille il appartient (elle dit *à quelle fatigue* pour tenter de le faire sourire) et où il va, ce mot, «habillé comme ça, déguisé en é-ter-nue-ment». La question a fait un peu de friction dans l'air frais de la voiture. Plutôt que de répondre, l'homme voudrait continuer à rêver, imaginer à l'horizon le point où les rails enfin se joignent. Mais il revient dans ce corps (est-ce encore le sien?) qui tient à deux mains les bras du fauteuil. Il brûle pourtant de le quitter pour tenir dans les siens ce corps frêle, dans ses mains toute la douceur des traits de la jeune femme, visage offert au soleil en joue sur sa jeunesse.

— M'écoutes-tu Mikaël? Peux-tu me dire un peu l'histoire du mot atermoiement. Atermoiement... Il me semble que ça sonne drôle.

L'homme croit que la question est posée pour rayer l'air qui se vitrifie autrement avec l'accélération. Mais c'est n'importe quoi dans le jeu de la femme pour garder sa tête accrochée à l'instant et, minute par minute, avancer vers l'heure qui vient. Se rendre coûte que coûte à la gare... Ne pas laisser resurgir les vieux fantômes et se mêler encore une fois le passé au présent. Jamais question ne fut posée avec une volonté plus pratique de faire passer le temps. L'homme rêve devant ce qui le chavire et pour la première fois depuis longtemps voudrait s'appliquer à l'instant, placer sans trembler le prénom de la jeune femme quelque part dans la réponse qu'il tente de lui fournir, à moitié parti dans le noir de ses cheveux.

— C'est «terme» qui fait partie de la racine, et le *a* marque la direction que l'on change, le délai que l'on diffère sans cesse. Si je me souviens bien...

Il ignore ce que Madeleine a déjà saisi du mot et de la situation bien avant sa réponse, puisqu'elle a posé la question. Ses yeux cherchent à nouveau la fenêtre du train pour ne pas retrouver, dans le corps déroutant de cette femme, l'enfant toujours debout, abandonnée sur le chemin des Patriotes. Ses yeux fixent la fenêtre où passent coquelicots et chèvrefeuilles, mais ils n'y voient toujours que le reflet du même visage en plus chaud, en plus troublant dans son profil qui vibre et le ramène à un rétroviseur où son image beaucoup plus jeune — elle n'a que dix ans — tremble.

L'homme tourne la tête vers le couloir, mais il est assis dans le mauvais sens du train, vers le prochain arrêt. Tout accélère: il a un peu mal au cœur, voudrait garder son calme, a peur de perdre connaissance. Il décide soudain de descendre au prochain arrêt ou de lui dire de s'en aller, d'aller retrouver sa vie à Saint-Hilaire ou Montréal ou n'importe où de l'autre côté de l'Atlantique et de le laisser fouiller les mots, chercher ses mots dans sa vie à lui tout seul. Mais quand il ouvre la bouche, il ne peut que poursuivre les explications sur un ton neutre.

— ... comme si on mettait sans cesse un terme à ce qui semblait pourtant décidé. Parfois c'est exprimé clairement. D'autres fois, tu sais, il faudrait voir ce qui se passe dans la tête des gens.

— Un peu comme on dit au Québec «branler dans le manche», mais qu'il faut éviter d'employer à Paris avec une gang de gais!

La jeune femme éclate de rire, mais regrette aussitôt sa blague. Depuis quelques minutes, elle a l'impression que la voix de l'homme se vide. Elle sent qu'il cherche à sortir du mouvement, à rompre le fil, à défaire le trajet sans pleurer. Il veut trouver un sens à l'affolement de la boussole dans son ventre, mettre au plus tôt un terme à la souffrance secrète dans laquelle il s'est enfermé et retourner dans le Finistère, à l'origine, au premier lieu habité, enclos. Kérouack. S'il pouvait finalement tout reconstruire, comme il l'a cru naguère, après avoir tout démoli, comme il l'a fait jadis.

— C'est plein d'allure (elle se souvient qu'Hélène disait *C'est plein d'allure, Arthur*), mais je ne trouve pas de mots de la même famille. Où sont ses frères, ses sœurs, sa maman, où est celui que tu appelles Tad en breton? Si tu as passé les dernières années à fouiller dans les dictionnaires...

Et l'homme voit les lèvres pulpeuses bouger longtemps avant que les sons lui arrivent. La lèvre supérieure surtout qui est dessinée en chair de pleine lune. Il entend ensuite les gros sabots de la question, l'allusion à la famille. Dans son cœur, tout tire à hue et à dia en même temps. Il veut à nouveau rentrer avec elle, se jeter par la fenêtre de ses yeux, effleurer du doigt une syllabe de sa bouche, frôler n'importe quoi qui aurait son parfum, le grain de sa peau. Il cherche un pictogramme avec une bombe rouge au milieu d'un corps tout blanc, traits rudimentaires, dessin d'enfant. Un homme de mèche avec le coup de foudre choisit de bourrer sa tête de mots qui vont le faire sauter... ou le remettre au monde, le dégager de sa gangue. Une plainte, un aveu va ouvrir sa gorge en deux: «Comme tu es belle, Hélène. Et comme j'ai peur!»

Mais aucun de ces mots n'arrive à sortir de lui. Il n'est même plus certain du prénom. Fixant les longs cheveux noirs sur le blanc de la blouse, il s'entend plutôt ajouter de l'information sur la famille du mot, du verbe «atermoyer» qu'on emploie rarement en effet et qui se conjugue comme «noyer»... Il se débat dans l'eau de ses yeux, du sel plein la tête. Il cherche à remonter son sang, à revenir à ce qu'il était, Michel Kérouack, sur le chemin de halage, entre le canal et la rivière Richelieu, avant de retenir le temps au Finistère, près de la mer à chercher des pierres, des fleurs, puis des mots dans les glossaires.

Il étouffe devant cette jeune femme qui le ravit, l'effraie en même temps. Il la désire et cherche pourtant le moyen de l'abandonner encore. Veut tantôt rentrer au Québec avec elle et tantôt retourner seul au Conquet, là où le vent et les vagues font dehors le bruit qu'il entend dans sa tête quand il vente fort. S'il ne sait plus où il va, il peut du moins se réfugier là où son nom vivait avant lui, quand tout avait encore un sens. Puis il s'abandonne à nouveau, se laisse submerger par cet amour et décide de le suivre jusqu'à la gare, jusqu'à Roissy. Il choisit de se laisser retourner par cette femme qui devrait l'abandonner à son tour, le laisser à l'oubli sur les blancs sablons.

Elle, pendant ce temps, promène son regard entre les mains tremblantes de l'homme et son front plissé à la racine du nez. Elle ne sait plus si c'est le plateau de la roulette qui tourne dans sa tête ou bien la bille d'ivoire qui saute d'une case à l'autre. Elle ignore même s'il existe un numéro gagnant, une bonne couleur, et se demande si le temps n'a pas effacé de chaque petite case tous les chiffres, même le rouge et le noir des paris à ce casino de fortune. Qui est vraiment cet homme devant elle? Qu'est-ce que la vie en a fait? À la fois père emporté, amant amnésique, prisonnier de sa peine. Pourquoi tient-elle à lui malgré tout? Pourquoi l'a-t-elle défendu, attendu aussi patiemment pendant des années, abandonnant ses cours à l'université et ses amours aux regrattiers? Pourquoi est-elle venue débusquer ici cette vie traquée?

Certainement pas, comme le souhaite Geneviève, pour les venger de la douleur venue du Fou Total, comme elle l'appelle, du malade qui émiette l'innocence et brise dès l'enfance le petit cristal du bonheur, et parfois les corps aussi. Geneviève n'a pas été assez bercée. Il n'y a pas de Fou Total ni d'abord de père brutal, mais plutôt des possédés dépossédés que les financiers du malheur ont détraqués. Il n'y a que des humains que les chiens ont forcés.

Malgré tout, Madeleine ne sait plus trop pourquoi elle roule en train avec cet homme et le trouble. Elle n'est pas venue l'attiser pour ravager ce qu'il reste de sa maison ou des souvenirs communs. À quel amour en ce moment obéit-elle? Elle est venue chercher son père, intime étranger, pour le ramener comme amant ou comme avant dans sa vie. L'homme vient de se pencher au-dessus de la petite table aux bords repliés pour prendre sa main, la caresser presque imperceptiblement. À quel destin l'un et l'autre obéissent-ils? Est-ce le silence qui devrait signer les lettres d'amour? Qui donc s'est installé dans son cœur depuis son arrivée à Paris il y a quinze jours?

Après l'errance nauséeuse et la commotion des premières scènes de la ville vertigineuse, elle avait trouvé un hôtel au calme près de la gare Montparnasse, rue Jolivet, juste en face du square Gaston-Baty. Pour retrouver le moral, elle s'était amusée à diriger les touristes qui descendaient du car d'Air France vers la rue du Départ dès leur arrivée... Mauvais présage qu'elle avait su déjouer en confondant pour sa part, rue du Maine, la statue de Chaïm Soutine avec Pervers Pépère, pardessus ouvert, chapeau mou et tout le tremblement vu d'en arrière.

Reposée et confiante, elle avait arpenté ce dimanche lumineux, un dimanche plein de certitudes: un trajet rassurant vers la gare, une chambre pour deux réservée au retour, un rendez-vous au Conquet avec celui qu'elle vient chercher et la certitude enfin qu'il accepte de rentrer. Sans ce roulis du cœur ou le flou des fuseaux horaires dans sa tête, heureuse comme en lisant Queneau, elle était allée respirer le mois de juillet au jardin du Luxembourg. Un goût irrésistible de se balader à nouveau dans Paris avant de partir pour Brest. Le plaisir de flâner en rêvant de la voix chaude et grave qu'elle va retrouver. Flâner avant de sauter dans le vide.

Elle avait aussi pris le temps d'effacer la dette des vilaines surprises de cette ville sur laquelle elle a promené, quelques jours plus tôt, un regard embrouillé, en brouillard, et qui ne savait rien voir que les fausses pistes sur le trottoir. Entre autres, une romanichelle, vraie ou fausse Roumaine, ou sa sœur, nourrice en plein air, qu'elle avait voulu retrouver près de la pyramide du Louvre pour voir qui s'était tari en premier entre ses seins et le regard humide des passants.

Une fois dans ce dimanche sans fatigue, Madeleine n'avait pas reconnu les ombres de la fontaine Médicis où elle avait pleuré tout son prénom dans son errance du premier jour. Elle ne se souvient plus que des points d'appui entre ses vertiges, des échappées de lumière dans les frondaisons. Le train les ramène maintenant, elle et son père, au cimetière de M. et Mme Pigeon dans leur lit de bronze, infatigables amoureux de la nuit, fixés pour longtemps dans l'engourdissement heureux qui précède le sommeil, parfaitement disponibles aux rêves.

— ... de toute façon, Mado, «atermoyer» c'est toujours pour gagner du temps quand on ne sait plus trop bien ce qu'on veut.

Madeleine?

Engourdie par l'incroyable lenteur des caresses sur sa main, la jeune femme, qui n'entendait plus les explications sur le mot et sa famille, sort brusquement de sa rêverie. Le ton de la voix a changé et prend des inflexions chevrotantes. L'homme qui parle a pris peur et s'éloigne. Cela s'entend. Il ne tient plus à son amour que par la peau des doigts. Elle veut tout de suite le reprendre, le remettre sur la voie, le ramener à elle, au train qui s'arrête au Mans dans dix minutes et filera sans autre occasion d'en descendre jusqu'à Paris.

Il faut gagner du temps. Ne pas laisser les yeux de Mikaël s'affoler et chercher de vieilles images au fond de sa tête. Elle ne doit plus se laisser distraire. Il faut masquer le nom des villes à chaque gare avec des mots qui garderont la main de l'homme sur la sienne, son désir en mouvement avec elle, son cœur au présent.

— Tu as déjà vu, Mikaël, le monument des Pigeon au cimetière Montparnasse? Pigeon. L'inventeur qui lit jusque dans la mort à la lumière de la lampe qu'il a mise au point. À côté de lui, dans la même pierre, sa femme veille. Elle a l'air jeune et heureuse. Nous irons les saluer en arrivant à Paris. J'y ai vu il y a une semaine, dans l'allée qui mène à leur lit, quelque chose de très beau.

Sans perdre une seconde, Madeleine l'entraîne dans une étrange histoire d'enfance et d'amour que la vie a glissée sous ses yeux dans un silence de mort. Elle se rapproche de lui et lui rappelle que cela s'est passé il y a peu de temps, un soir qu'elle cherchait, au hasard, des visages amoureux entre les dalles de marbre. Une histoire vraie, insiste-t-elle. Pour qu'il croie en elle.

Une vieille dame, sèche et anguleuse jusque dans le regard, est assise sur le bout d'un banc, genoux ouverts de chaque côté de sa canne pleine de nœuds. Les mains sur le pommeau appuient assez fort pour qu'elles en épousent la courbure et paraissent énormes. Ses vêtements sont sombres comme le bois de la canne et les plis lourds de la robe immobile donnent l'impression que la vieille est de pierre. Mais son chapeau détonne. La description que Madeleine en fait retient l'attention de Mikaël en route avec elle justement vers ce cimetière voisin de la gare où elle veut l'amener. C'est comme s'il entrait dans le tableau. Un chapeau de paille rose, tout rond avec un ruban prune en bourdalou, un petit chapeau rose avec deux galons de même couleur, attachés sous le menton sévère, un chapeau de petite fille heureuse et souriante sur une tête de grand-mère indifférente.

Imperturbable sous le chapeau, la vieille dame regarde une petite fille de dix ans, peut-être douze, qui se tient debout en face d'elle et lui parle à voix basse, comme si elle priait. Puis l'enfant lève les bras au ciel, doucement, mains jointes en flèche qu'elle sépare pour laisser chacune tracer la moitié d'un cercle qui les réunit devant ses cuisses, genoux un peu pliés et jambe droite tenue légèrement en arrière pour saluer avec une élégance surprenante. En même temps, la voix devient sensible, limpide et presque chantante. Madeleine a l'impression que les mots de la petite flottent dans l'air, tout rouges, et qu'elle pourrait les prendre un à un dans sa bouche, comme les fruits qu'elle allait cueillir aux matins clairs d'autrefois, avec Hélène et sa petite sœur Geneviève, à la fraisière de chez Hébert.

— Grand-maman, maintenant je vais danser pour toi et pour ton beau chapeau.

Et alors, avec une grâce tout de suite envoûtante, la jeune fille tient dans ses bras minces et blancs un corps imaginaire qu'elle promène à sa guise et sans hésitations dans les pas d'un tango étourdissant, tracé de tout temps. Quand elle arque son corps, tête loin en arrière, les formes sous la soie de sa robe laissent l'enfant cachée au milieu du cœur et livrent déjà la femme aux regards. C'est peut-être justement ce que la grand-mère devine au milieu du ventre de la jeune fille qui fait bouger sa tête en signe que non. Mais à ce moment, le corps tout en beautés de la petite, tout en charmes et en gestes heureux ne touche à peu près pas la terre graveleuse sous ses pieds. Et c'est peut-être précisément ce que la grand-mère devine au milieu de la vie ondulant devant elle qui soudain la fait sourire, oh presque rien, un coin des lèvres qui tremble et se soulève un instant. Mais voilà la femme apparue dans l'enfant qui arrête de danser, salue sa grand-mère, la prend doucement sous le bras pour qu'elle se lève et s'en va avec elle en chantant vers la rue Froidevaux.

«C'est le plus beau jour de ma vie
J'ai retrouvé mon chapeau...»

Une chanson que Madeleine (elle la fredonne sans trop s'en rendre compte en terminant son récit) a souvent entendue de son père quand ils allaient en famille faire des pique-niques à Chambly ou au fort Lennox, avant qu'il perde sa bonne humeur et finalement la tête.

Entre la peur et Le Mans, Madeleine lui a raconté cette histoire douce et vraie comme on lance un drap sur la cage d'un oiseau, moins pour faire la nuit que pour l'apaiser, le calmer, le reprendre plus tard. Déjà, peu après le départ de Brest, quand le train est passé à la hauteur du grand clocher de Morlaix et qu'on voyait le manège comme un œil au milieu de la ville encaissée, elle a cru que son compagnon de voyage avait le vertige, la tentation de sauter. Un peu avancé de biais sur son siège (pourquoi d'ailleurs ne pas s'asseoir en face d'elle?), mains sur les tempes, il avait fixé la place publique au fond de la vallée, en persistance dans l'œil longtemps après qu'elle eut disparu de la fenêtre.

Depuis, en posant des pièges dans ses questions ou en lui racontant des histoires au présent, Madeleine tente de conserver son attention, de le garder avec elle. Or c'est elle qui a dérivé à partir du moment où il a touché sa main. Telle Schéhérazade, elle tente comme elle peut de garder le désir en vie. Avec un amour fragile, elle doit se rendre au matin dans un hôtel de Montparnasse, à deux pas du cimetière où cette jeune fille, à peine sortie de l'enfance, dansait hier pour un chapeau rose et sa grand-mère de granit en dessous. Elle doit se rendre à la beauté, à tout prix, comme on se rend à l'évidence des histoires qui finissent bien.

À la fin du récit, l'homme a reconnu la chanson de Béart qu'il aimait chanter à tue-tête, les dimanches de vitres baissées... Il cherche à retrouver la voix assurée qu'il avait en partant de Brest. Quelque chose le trouble et l'alarme dans ce que Madeleine lui a raconté.

— Il y a toujours des choses étranges dans les cimetières, c'est vrai. Toujours des gens qui cherchent n'importe quoi: une pierre où on a gravé un prénom tombé de leur mémoire, la bonne rangée, la bonne allée, la bonne sortie quand il commence à faire trop noir. Parfois encore, un visage avalé par la nuit... Mais ton histoire n'est pas la plus belle histoire de cimetières. La plus belle n'a pas de rose. La plus belle, mon amour, est en noir et blanc. Je la connais par cœur...

La voix s'est à nouveau fêlée et le regard ne sort plus très loin des yeux sombres. Dans le récit de sa fille, le corps de l'enfant était peut-être trop mouvant sous la robe soyeuse. Il y avait trop de gros nœuds dans la main veinée de la vieille et trop de petits fantômes dans le rose de son chapeau. La figure de Madeleine a un peu pâli entre ses cheveux noirs. Quelque chose dans ce tableau a changé la voix de Mikaël, changé son regard. Elle voudrait l'empêcher de prendre l'épouvante dans sa tête de père brisé, d'aller plus vite que le train comme Alexis le Trotteur et de l'y abandonner déjà, happé par la peine, bien avant d'arriver à la fin du voyage. Elle veut l'empêcher de raconter, comme il dit, la plus belle histoire de cimetière dont elle craint justement la chute, la sortie. Mais il se sauve sans l'écouter dans les mots de son récit.

Il ne se souvient pas de l'année mais il n'avait pas encore regagné son logis au Conquet, refuge silencieux dans l'infini des mots sur les côtes du Léon. Sept, peut-être huit ans de cela. Tant de temps à errer dans sa patrie après le procès, la peine, la disparition d'Hélène. Loin du Québec. Étranger jusque dans sa tête, il se demandait ce qu'il fallait faire pour revenir au monde. Il ne se souvient pas de ce qu'il cherchait vraiment sur les épitaphes, mais il revoit, exactement comme s'il y était, une dame en grand deuil dans ce même cimetière. Une journée de soleil énorme.

Madeleine soudainement a peur de cette femme qu'elle devine sous sa douleur. Elle cherche à retrouver ses esprits, à détourner l'attention de son père, le sortir de son histoire, reprendre ses mains. Mais il s'en sert justement de ses mains pour lui dire comment la dame, aperçue il y a longtemps, tenait sous le bras gauche, bien logé à l'aisselle, un rouleau de papier blanc.

Difficile de préciser son âge, car ses vêtements noirs la couvrent presque entièrement. Le milieu de la trentaine peut-être, comme Hélène sur la dernière photo... Le chapeau étroit, la résille et la voilette veillent à ne rien laisser au cru de la lumière ni à l'œil des passants. Même la tête reste toujours un peu penchée comme celle de quelqu'un qui regarde au-dessus de ses lunettes et veut foncer. C'est d'ailleurs ce que le corps, assez serré dans son tailleur à jupe droite, s'occupe à faire dans les allées du cimetière. Même quand elle arrive à allonger un peu le pas grâce au pli d'aisance, les bas noirs ne laissent rien à l'air. Avec le reste de la tenue, les gants longs finissent par convaincre de l'absence d'une femme à l'intérieur du déplacement. Autre chose encore étonne et éblouit: tout le tableau avance comme les reflets de la lune ondoient sur l'eau, les soirs de ciel clair. L'ombre impossible, soleil au zénith, progresse en zigzaguant, par à-coups, entre les dalles et dans les allées du cimetière.

Dans son récit, Mikaël la suit et s'éloigne en même temps du présent, de Madeleine à qui il décrit la scène et qui ne veut plus écouter la suite. Elle cherche à se lever, puis pose ses bras pliés sur la petite table qui les sépare, s'y appuie le front dix secondes et relève la tête. Tout le menton avec la lèvre inférieure s'est mis à trembler.

Mais l'homme qui raconte ne vit plus que dans son récit, ne voit plus que cette femme en noir qui passe entre les pierres de sa mémoire, à deux pas de lui. Elle passe devant *La séparation du couple*, monument des amants que la mort déchire et qui voient la pierre rouler, les séparer infiniment. Elle passe devant sans regarder le dernier baiser que l'épouse adresse à celui qui reste du côté du soleil. Elle connaît par cœur déjà la mousse de la pierre et la parfaite imitation du geste d'adieu des vivants. Elle court, mais s'arrête à tout moment, pour rester parfaitement immobile un instant, puis tourne la tête et repart de façon précipitée dans une autre direction que la dernière envisagée. Si elle bifurque en marchant, toujours sans la moindre maladresse son corps le fait une seconde avant que la tête ne tourne. Elle flotte au-dessus du gravier, ne s'appuie sur rien, tient serré sous son bras le rouleau de papier blanc qui ne sert pas.

Dans le train au présent déjà trop poreux pour tenir longtemps, Madeleine imagine la dame mystérieuse, la voit déboucher sur la rue Émile-Richard avec, tout près d'elle, cet homme, amoureux confondu dans le tableau qu'il lui décrit, son père perdu entre ses souvenirs en gigogne. Lui aussi tourne sur Émile-Richard vers le boulevard Edgar-Quinet. Derrière la femme, le velours noir du tailleur s'imprime dans l'air: c'est de la suie, c'est du mâchefer, une absence si serrée sur elle-même qu'elle aspire tout ce qui risquerait de mettre un peu de couleurs sur la mémoire des morts ou sur leurs survivants.

À la sortie du cimetière, une limousine attend la dame qui n'a rien laissé sur aucune tombe, ni mot, ni larme apparemment, ni abandonné son rouleau blanc. Elle pose la main droite sur le toit de l'auto, touche à peine le métal sombre du bout du gant et attend. Quelqu'un de l'intérieur ouvre et elle se retourne élégamment pour y entrer en s'assoyant, mais surtout pour faire un signe à celui qui s'est arrêté derrière elle, le saluer de la main gauche avec les doigts, comme fait l'enfant triste quand il veut qu'on reste et va pleurer dans un instant. Puis elle s'engouffre, disparaît derrière le métal et les vitres opaques de la limousine qui s'éloigne lentement. L'homme aperçoit à ses pieds le rouleau de papier blanc qui se déroule doucement, l'autre extrémité coincée dans la portière de l'auto noire.

Immobile et bien droite maintenant, Madeleine cherche le regard de celui qui poursuit son récit à la troisième personne en se nommant Mikaël comme s'il parlait d'un étranger. Elle distingue chacun des gestes qu'il lui décrit: il se penche, saisit la partie serrée du rouleau qui sautille en se dévidant sur le gravier, puis exécute ce mouvement circulaire des mains pour l'enrouler à nouveau. Mais le choc qui doit naturellement déchirer le papier quelque part entre lui et l'auto ne se produit pas.

Des années plus tard, dans un train qui a quitté Brest et rentre sur Paris, celui qui tient le fil du récit pense toujours arriver à la limousine, retrouver la main qui de loin lui fait encore signe. Bras tendus vers Madeleine, un homme tremble de tout son corps. C'est son père, un amour déboussolé, sa peine incroyable.

Quand le train entrera à la gare de Montparnasse, il y aura longtemps que la jeune femme, tête abandonnée aux derniers mouvements, ne saura plus sur qui ni trop pourquoi elle pleure.

En pleine voie

Je me lèverai donc et parcourrai la Ville.
Dans les rues et sur les places,
Je chercherai celui que mon cœur aime.
[...]
Je l'ai cherché mais ne l'ai point trouvé.

Le Cantique des cantiques

Ils sont arrivés en courant, visiblement épuisés, à bout de souffle, mais juste à temps pour sauter dans le train de 15 h 03. Il était plutôt «plus deux que moins cinq», cria l'homme à sa jeune compagne qui portait difficilement son sac, bouteille d'eau sous le bras et parapluie inutile au bout d'une lanière qui céda après s'être coincée dans les dents du marchepied.

L'homme maugréait, poussant le corps frêle à vite grimper dans la voiture numéro 27. Une oasis, du mouvement sans effort, de l'air conditionné derrière des vitres un rien fumées pour filtrer les rayons du soleil... Tout ce qu'il fallait pour jouir pleinement de ce printemps hâtif.

Elle, les yeux fixés sur la bordure du quai, semblait rendue. Sur son beau visage un peu pâle, soudain, il ne restait du soleil que le sel de la sueur. Sorti de nulle part, un nuage apparut au-dessus de ses cheveux châtains et descendit dans ses yeux. Elle murmura que les rues de Rennes étaient attachantes, le cidre juste assez brut et lui un peu trop.

Sur le quai s'éloignait rapidement le parapluie abandonné lorsqu'une voix annonça dans les haut-parleurs que ce train desservirait les villes de Laval, Le Mans, Chartres et Versailles. Dans la voiture, les mots parurent un instant amplifiés, puis tombèrent avant le couple sur les banquettes de velours.

L'homme, la cinquantaine engagée surtout dans les yeux, offrit le siège de la fenêtre à son amie qui n'eut guère le temps de bouger. Il s'y était déjà enfoncé en riant aux éclats. Le mousseux avait donné du corps à son insolence autant qu'à sa moustache abondante et jaunie. Il tira d'un coup le rideau plissé en accordéon qui révélait deux tons de roux: l'un totalement exposé au soleil et l'autre pas du tout. Lui de même s'exposa aux ardeurs et, après avoir bu goulûment, glissa la bouteille d'eau de Vittel dans le filet élastique accroché au siège d'en avant.

Les veines bleues sous les yeux de la jeune femme tranchaient terriblement sur le visage livide. Ses traits fins n'enlevaient rien de la fermeté qui se dégageait de la figure. Une impression de douceur appliquée, inquiétante.

Après un moment, l'homme grogna quelque chose au sujet de ces «satanées valises» et de la lenteur de certains culs. Sa compagne avait presque tout hissé sur les porte-bagages avec une vigueur surprenante pour une si mince personne, visiblement vidée par l'effort fourni quelques minutes avant ou depuis bien plus longtemps. Étrangement, son corps tremblait uniquement à certains endroits. Il fallait remarquer à la hauteur des seins, sous la camisole trempée, comment la poitrine frémissait sur le cœur; ses mains aussi donnaient l'impression d'avoir froid, pellicule violacée sur des doigts filiformes.

Rapidement, le train atteignit sa vitesse normale et le cœur de chacun reprit autrement la sienne. La jeune femme respira profondément à quelques reprises et dit à son compagnon qu'avant de fermer les yeux elle passerait d'abord aux toilettes pour ensuite s'assoupir «l'esprit en paix», s'il voulait bien lui pardonner l'expression. Elle ne se retourna pas vers lui lorsqu'il répondit par une blague vilaine au sujet de la rivière du même nom, laissée derrière, et de l'esprit pris dans la même région.

Les passagers ne trouvaient plus la température aussi fraîche dans la voiture, car les humains, tout comme l'air, sont rapidement conditionnés. La femme se dirigea lentement vers l'une des extrémités de la voiture avec assez d'application pour ne pas se laisser déséquilibrer par l'effet combiné de la fatigue, du cidre et de la courbe qu'elle allait prendre tant bien que mal avec le train.

Les gens qui la voyaient se rapprocher d'eux auraient voulu que sa main glisse du siège pour qu'elle effleure un peu leur épaule, prétexte pour lui parler, «mais ce n'est rien, je vous assure, vous semblez très fatiguée...» À cet instant, tout chez cette femme donnait le goût de la bercer, de la prendre dans ses bras pour attendre que les nuages se séparent... Ses cheveux tirés, leur feu doux dormant sous la passe, son allure d'enfant qui revient de l'école avec un mauvais bulletin, une enfant qui a pourtant fait son gros possible. Le détresse en filigrane dans tout le corps.

Les yeux mi-clos, l'homme était le seul à ne pas bien l'embrasser, à s'amuser de la voir si prudemment prendre appui sur le dossier de chaque fauteuil et parfois même, il l'aurait juré, sur la tête de certains passagers qui faisaient comme s'ils n'avaient rien senti. Tous gens de première classe. Il regretta de ne pas se retrouver dans une voiture à couloir latéral.

Au moment où il s'abandonnait au sommeil, elle revint sur ses pas avec une assurance surprenante pour dire à l'homme en l'appelant par son prénom de ne pas quitter le siège «avant mon retour. Ne laisse pas nos choses sans surveillance. Attends que je revienne si tu veux aller à ton tour». La voix était basse.

Elle lui tournait à nouveau le dos quand tout un chacun entendit son compagnon ajouter que si dans deux heures elle n'était pas de retour à ses côtés, il préviendrait le contrôleur en hurlant que sa belle princesse Geneviève avait été ravie, qu'il ne pourrait jamais au grand jamais payer la rançon et qu'il faudrait, hélas, se résigner à l'abandon, puis éventuellement à l'oubli.

Si elle se trouvait déjà trop loin peut-être pour tout entendre — d'autant qu'il acheva sa phrase presque en bâillant —, la jeune femme retourna tout de même juste assez la tête pour que, furtivement, on aperçoive au coin de sa bouche un petit sourire. Elle fit avec la main gauche au-dessus de l'épaule droite un salut enfantin, doigts serrés, main pliée puis lentement dépliée. Deux fois.

Les pictogrammes allumés indiquaient que les toilettes, gauche et droite, étaient occupées. La jeune femme continua à marcher dans l'allée, présumant sans doute que l'une ou l'autre se libérerait avant qu'elle ne soulève la poignée des portes coulissantes du côté du sas qui maintenait l'air des gens de seconde en seconde.

Afin de la laisser passer, le premier jeu de portes glissa silencieusement devant elle, puis aussitôt derrière. La moitié des passagers de la voiture 27 virent qu'elle ouvrait celle aussi de la voiture suivante. Les cabinets de chaque côté n'étant toujours pas libres non plus, l'homme crut qu'elle ne pouvait patienter plus longtemps et que, bravo, il aurait ainsi moins longtemps à attendre son tour et son retour. Mais elle ne revint pas.

Au bout de cinq minutes, il étira le cou vers les premières portes en grimaçant ce qui pouvait ressembler à un sourire. Après s'être passé plusieurs fois la main dans les cheveux, il se leva et tourna brusquement la tête vers l'autre extrémité de la voiture comme si le train faisait une boucle qui ramènerait la jeune femme par-derrière.

Trois fois, dix fois, la tête aller-retour sur l'axe du cou tendu, raide, fouilla le couloir que l'énervement et les secondes semblaient allonger. Lumière éteinte des pictogrammes rouges, la main qui tirait le levier de la porte n'était jamais celle de sa compagne. Jamais assez fine, jamais assez blanche.

Le contrôleur avait certainement coupé la climatisation, car l'air chaud à la hauteur de la tête coulait comme de l'eau sur le front de l'homme devenu soucieux. Il se releva, abandonna sacs et valises pour se diriger vers la voiture qui avait avalé la frêle femme des années plus tôt, lui semblait-il. Les yeux hagards et les traits si tirés que ses lèvres n'arrivaient plus à cacher les incisives, il parcourut quelques voitures en ouvrant toutes les portes qu'il trouvait dans le brouillard.

Une fois revenu à sa place, l'air hébété, il tourna la tête vers la fenêtre sans quitter l'appui-tête. Un doute poussait à l'intérieur, clignotant parmi les certitudes. Sur ses genoux ses mains se mirent à trembler.

Plus loin, la jeune femme se disait que s'il était défendu de se pencher au-dessus des fenêtres d'une voiture en marche, il n'était pas interdit de descendre quand l'occasion se présentait. On lui avait si souvent reproché ses mauvais choix qu'elle préférait désormais s'en remettre à la beauté du hasard. Si le train s'arrête... Et la petite voix de son enfance murmurait dans sa tête qu'il allait justement s'arrêter avant la prochaine gare. En attendant, elle n'avait qu'à marcher d'une voiture à l'autre sans regarder derrière et en s'attardant dans les sas où on sent mieux la voie sous les pieds, le glissement si doux de la vie dans l'air.

Son agitation avait brusquement tourné à la quiétude, l'épuisement à la détente. D'un coup, la profonde certitude qu'elle n'avait plus à traîner sur son dos des sacs de rancœurs, de cauchemars et de vieux malheurs; l'évidence qu'il existait une autre façon de faire le voyage. Les passagers qui la voyaient avancer lui souriaient timidement pour l'encourager. Exactement ce qu'il fallait faire.

Lorsque le train ralentit, puis s'immobilisa, l'homme se dirigeait à nouveau vers la voiture de tête en posant à son tour les mains sur les sièges de chaque côté du couloir central, poussant machinalement les portes qui apparaissaient devant lui. Mais il comprenait qu'il y en aurait beaucoup trop.

Il marchait sans rien saisir d'autre lorsque, par l'in-
terphone, l'opérateur pria les passagers de ne pas quitter leur place. Son message leur apprit qu'ils étaient
arrêtés en pleine voie à cause d'un incident technique et
qu'il faudrait envisager un léger changement à l'horaire.
Il ajouta toutefois qu'il n'y avait pas lieu de s'inquiéter.
Absolument pas lieu.

Les pigeons de papier

Saint-Jean-sur-Richelieu,
un de ces dimanches

Mado,

Mes mots sont fatigués de naissance. Ils ont rongé leur frein sans jamais croire qu'ils finiraient par me libérer. J'ai toujours enragé d'eux. Tu disais que mes cheveux imitaient les feux de circulation: rouge, jaune, vert. Rouge plus longtemps que les autres. Je n'arrivais pas à bouger en dessous dans ma tête. Si tu avais voulu que je parte avec toi en Bretagne... Tant pis. Tant mieux. Tu craignais mes crises. Avec raison peut-être, mais c'est fini. Mes mots ont mal respiré longtemps. Mais c'est bien fini. Je vais leur faire prendre l'air. Ils n'ont pas été tirés comme les tiens du bon chapitre. Ils n'ont pas profité de la bonne voix. Quelqu'un a oublié le livre ouvert à l'épisode de l'abandon. Je n'avais rien demandé mais j'aurais aimé qu'on me salue avant de partir. Comme le faisait maman, tu t'en souviens? J'ai décidé de rendre la monnaie d'une pièce que je n'ai jamais eue. Ne crains rien, c'est une idée très correcte. Presque religieuse. Saluer à droite et à gauche sans trop s'attarder aux visages, comme fait le pape. Et je vous baise d'un côté, et je vous signe de l'autre. Sincères salutations. Il n'y a plus rien ici pour rêver. Je pars avec des pigeons de papier que je vais relâcher sur le quai des gares qui n'ont pas de tableau d'arrivées. Je laisserai le chemin me reprendre naturellement ou le voyage s'achever tout seul en son temps. En douceur. Tu verras.

J'y arriverai. J'y arriverai.

GENEVIÈVE

Table

CHOIX DE TITRES PARUS
DANS LA COLLECTION FICTIONS

Cet ouvrage composé en New Baskerville corps 12
a été achevé d'imprimer
le douze septembre mil neuf cent quatre-vingt-seize
pour les compte des
Éditions de l'Hexagone.

Imprimé au Québec (Canada)